MAY   2017

NEGOCIAR LO IMPOSIBLE

Deepak Malhotra
Harvard Business School

NEGOCIAR LO IMPOSIBLE

Cómo destrabar y resolver conflictos difíciles (sin dinero, ni fuerza)

 **Empresa Activa**

Argentina – Chile – Colombia – España
Estados Unidos – México – Perú – Uruguay – Venezuela

Título original: *Negotiating the Impossible –How to Break Deadlocks and Resolve Ugly Conflicts (Without Money or Muscle)*
Editor original: Berret-Koehler Publishers, Inc. Oakland, California
Traducción: Martín Rodríguez-Courel Ginzo

1.ª edición Octubre 2016

ISBN: 978-84-92921-54-6
E-ISBN: 978-84-16715-17-6
Depósito legal: B-19.174-2016

Fotocomposición: Ediciones Urano, S.A.U.
Impreso por Romanyà Valls, S.A. – Verdaguer, 1 – 08786 Capellades (Barcelona)

Impreso en España – *Printed in Spain*

A Aisha, Aira y Jai
Recordad: todos los problemas desean una solución

ÍNDICE

Segunda parte: EL PODER DEL PROCEDIMIENTO

Tercera parte: EL PODER DE LA EMPATÍA

PRÓLOGO

Si jamás en su vida se han tenido que enfrentar a una situación enrevesada en la que no había salida o a un conflicto desagradable, considérense parte de unos pocos elegidos. Pero si son como la mayoría de las personas, se habrán encontrado con negociaciones que parecían imposibles, y enfrentado a algunas preguntas peliagudas: ¿Cómo puedo desactivar una situación en la que nadie parece dispuesto a ceder? ¿Es posible negociar de manera adecuada cuando se carece de dinero o poder? Si sus intentos de negociar de buena fe no dan resultado, ¿qué pueden hacer? ¿Cómo podrían negociar con las personas que actúan con agresividad o de forma poco ética o que simplemente no están por la labor de negociar? ¿Cómo pueden resolver los conflictos prolongados o que van en aumento?

A lo largo de los años he trabajado con docenas de miles de dueños de empresas, ejecutivos y directivos; he hecho de consultor en cientos de negociaciones de alto riesgo, acuerdos en punto muerto, estancamientos diplomáticos y conflictos enquistados, y he asesorado a infinidad de personas que se enfrentaban a situaciones problemáticas o a personas difíciles en sus trabajos o en sus vidas cotidianas. Y en todos estos ambientes una pregunta que siempre hacen las personas es la de cómo pueden aprender a negociar con más eficacia cuando parece que no hay solución. Y aunque muchos libros contienen pequeñas perlas de conocimiento, me cuesta responder cuando se me pide que recomiende uno que aborde estas situaciones especialmente difíciles. Y no he encontrado la manera de transmitir mi convencimiento de que siempre hay una posible solución incluso para los problemas más agudos de las negociaciones.

Esta es la razón de que escriba este libro; el reconocimiento del hecho de que aunque muchos de los que nos dedicamos al estudio de la negociación hemos escrito muchos que son sumamente útiles, puede que hayamos pasado por alto algunas de las preguntas más repetidas e importantes. Este libro da respuesta a tales preguntas.

Las enseñanzas contenidas en este libro cobran vida a través de historias de personas que consiguieron negociar lo que era aparentemente imposible, *sin* haber tenido ni el dinero ni la fuerza para resolver el problema. En cada capítulo se cuenta una historia diferente —extraída de la historia universal, el mundo empresarial, la diplomacia, el deporte o la cultura popular—, y cada relato aporta una serie de perspectivas y principios. Siempre que es posible, ofrezco ejemplos adicionales de cómo tales perspectivas se pueden aplicar en otros ámbitos, ya sea en la negociación con un empleador o un cónyuge, ya con un socio estratégico o un hijo, ya con un cliente potencial o un grupo terrorista. No albergo ninguna duda de que ustedes, lectores, sabrán encontrar nuevas y más personales aplicaciones de interés.

Tengo la esperanza de que las enseñanzas contenidas en este libro les ayudarán a resolver conflictos, desbloquear situaciones y lograr mejores resultados en *todas* sus negociaciones, desde las sencillas a las complejas, desde las triviales a las aparentemente imposibles.

INTRODUCCIÓN

La lección más antigua en el establecimiento de la paz

Entre los tratados de paz más antiguos de la historia se cuenta el Tratado de Kadesh, que fue acordado entre los egipcios y el imperio hitita hace unos tres mil años, a mediados del siglo XIII a.C. Dándose la circunstancia de que ninguna de las partes deseaba seguir soportando los costes de la guerra, y de que cada una temía el conflicto inminente con sus demás vecinos, el faraón Ramsés II y el rey Hattusil III trataron de negociar el fin del conflicto. Pero semejantes intentos son difíciles no solo porque las cuestiones en juego puedan ser conflictivas o complejas, sino porque, con frecuencia, ninguna de las partes quiere dar el primer paso. La parte que acude pidiendo la paz puede parecer débil, más que sabia o magnánima, una señal que ningún líder se puede permitir enviar. Y, sin embargo, se llegó a un acuerdo. A pesar de haber sido elaborado hace miles de años, el tratado tiene muchas de las características distintivas de acuerdos más recientes, entre ellas las disposiciones que proclaman el final del conflicto, la repatriación de los refugiados, el intercambio de prisioneros y un pacto de ayuda mutua en el supuesto de que cualquiera de las partes sea atacada por terceros.[1]

---

1. El récord del *arbitraje* más antiguo lo ostenta el acuerdo al que llegó el rey Mesilim y que tenía como objeto acabar con el conflicto entre las ciudades-Estado de Lagash y Umma, en la región sumeria de Mesopotamia (en la actualidad, Irak), un acuerdo que se remonta a más de cuatro mil años, al 2.500 a. C.

Una característica más hace que este acuerdo se parezca a lo que solemos ver en la actualidad: en tratados de paz, en acuerdos comerciales y en esfuerzos fructíferos en la resolución de conflictos que van desde las disputas internacionales a las discusiones conyugales. Este rasgo se pone en evidencia en el Tratado de Kadesh solo porque fue recogido en dos versiones lingüísticas: en escritura jeroglífica (la traducción egipcia) y en acadio (la traducción hitita). La comparación de ambas traducciones pone de manifiesto que las dos versiones son, como cabría esperar, muy parecidas. Aunque hay al menos una diferencia importante: la traducción egipcia afirma que fueron los hititas los que llegaron pidiendo las condiciones de paz; la versión hitita, por su parte, asevera exactamente lo contrario.[2]

En lo tocante a las negociaciones, la diplomacia y la resolución de controversias, da lo mismo la cultura que estudiemos o la clase de negociación que investiguemos. Es irrelevante la razón por la que la gente se estuviera peleando o por qué decidió resolver sus diferencias. Algunas cosas no cambian jamás: *la necesidad de todas las partes de cantar victoria* es al menos tan vieja como la propia historia escrita.

El Tratado de Kadesh también muestra otra idea fundamental sobre la negociación y la pacificación, una idea que sienta las bases de este libro:

> Incluso los estancamientos y conflictos aparentemente imposibles pueden resolverse si nos deshacemos de la presunción de que nuestras únicas fuentes de influencia son el dinero y la fuerza.

Es especialmente importante tener esto presente cuando nos estamos enfrentando a una situación que se antoja desesperada. Cuan-

---

2. Véase Bell, Christine, *On the Law of Peace: Peace Agreements and the Lex Pacificatoria*, Oxford University Press, Oxford, 2008, p. 81.

do hasta nuestras ofertas más generosas son rechazadas, cuando nuestros intentos bienintencionados de abordar los asuntos son obstaculizados y cuando nuestra fuerza para imponer una solución es escasa, necesitas un enfoque distinto y otras fuentes de influencia. Este libro proporciona ese enfoque y muestra esas otras fuentes de presión.

TRES MANERAS DE NEGOCIAR LO IMPOSIBLE

Algunas negociaciones son fáciles; otras, más difíciles. Y luego están las situaciones que parecen sencillamente imposibles. Hablamos de aquellas situaciones en las que uno tiene poca fuerza y unas opciones limitadas. Son momentos en los que el conflicto es cada vez mayor, el estancamiento se está agravando y nadie está dispuesto a ceder un ápice. Son las situaciones en las que las personas se comportan de una manera que parece irracional, o lo que es peor, con una voluntad claramente hostil. Se trata, en suma, de problemas sin precedentes, para los que incluso una gran experiencia sirve de poco a la hora de aportar una orientación.

Pero estos son también los casos que, cuando se manejan con pericia, acabarán convirtiéndose en materia de leyenda.

Este libro versa sobre tales negociaciones: acuerdos estancados y disputas horribles que parecían absolutamente irremediables. Esto es, hasta que alguien encontró una manera de ganar contra todos los pronósticos *sin recurrir al dinero ni a la fuerza*. ¿Qué podríamos aprender de tales historias y de aquellos que las protagonizaron?

Como cualquiera que se haya enfrentado a un callejón sin salida o conflicto atestiguará, algunas de las situaciones más difíciles de resolver son aquellas en las que los intentos de uno de negociar de buena fe han fracasado y donde se carece de los recursos o la fuerza para negociar con eficacia. La razón de que la gente pierda la esperanza y empiece a considerar imposible la situación, es que ya han intentado por todos los medios a su alcance abordar la esencia de la disputa, y sencillamente se han quedado sin dinero ni fuerza. Pero ¿y si se pudieran utilizar otras herramientas?

En este libro nos centraremos en tres herramientas fundamentales que los negociadores suelen ignorar, infravalorar o gestionar indebidamente, sobre todo cuando están acostumbrados a pensar en el poder desde el punto de vista del dinero y la fuerza:

- El poder de la formulación
- El poder del procedimiento
- El poder de la empatía

Así, tanto en mi labor docente como en la de asesoramiento a miles de ejecutivos y dueños de empresas, he oído infinidad de historias de negociadores que llevaban a cabo negociaciones contra viento y marea. En mi trabajo para los gobiernos y los responsables políticos que intentan negociar con terroristas e insurgentes armados, me he encontrado a menudo con el sentimiento de desesperación que deriva del hecho de intentar resolver lo aparentemente imposible. Y en mi observación de incluso los conflictos ordinarios de la vida cotidiana, he visto a gente que no sabía muy bien cómo tratar con las personas hostiles, las situaciones difíciles y los asuntos espinosos. En todos estos ámbitos, a veces son las personas las que convierten una mala situación en otra peor —o hacen que un problema difícil parezca imposible—, al cifrar sus esperanzas en el dinero y la fuerza y no ser capaces de valorar el poder de la formulación, el procedimiento y la empatía.

¿Qué ideas podríamos transmitir a la gente que se enfrenta a conflictos desagradables en la empresa, la política, la diplomacia o la vida cotidiana? ¿Qué lecciones podrían aprender del caso más escalofriante de política nuclear arriesgada de la historia de la humanidad? ¿Cómo podrían emular al joven de poco prestigio y menor influencia que consiguió imponerse en una de las sesiones más importantes del último milenio? ¿Qué podrían extraer del texto del tratado de paz más antiguo del que se tiene noticia? ¿Qué principios podrían deducir de comparar los conflictos deportivos multimillonarios que fueron gestionados magistralmente con aquellos que acabaron en desastre? ¿Y qué estrategias podrían adoptar de una amplia variedad de disputas empresariales y callejones sin salida de alto riesgo que fueron resueltos sin ningún alarde de fuerza ni derrochar dinero en el problema?

La premisa de este libro es sencilla: hay mucho que aprender de las situaciones en las que la gente negoció lo «imposible». En primer lugar, las historias en sí —extraídas de la historia de la humanidad, la diplomacia, la empresa, los deportes y la cultura popular— son intrínsecamente interesantes, y los lectores aprenderán cómo vivía, luchaba y negociaba la gente en épocas y lugares tanto próximos como alejados de donde estamos sentados en este momento. En segundo lugar, las historias ofrecen lecciones tangibles que cualquiera que se enfrente a su propio conflicto o punto muerto, ya aparentemente imposible, ya más normal, puede aplicar. A lo largo del libro, aporto ejemplos de cómo tales lecciones se pueden aplicar en otros ámbitos que van desde las ofertas de trabajo, los acuerdos empresariales y las relaciones personales, a las negociaciones con los hijos o el diálogo con terroristas. Por último, si despojáramos a este libro de todos sus adornos, contextos y estructura orgánica, encontraríamos que, en esencia, es un libro que trata de los seres humanos que hacen todo lo posible para llevarse bien mutuamente en situaciones que no siempre son fáciles. Confío en que este libro infunda optimismo y proporcione nuevos prismas a través de los cuales el lector pueda empezar a apreciar esa cosa a veces desconcertante, ocasionalmente decepcionante o incluso irritante, y sin embargo muchas veces ejemplar, que llamamos humanidad.

REPLANTEARNOS EL TÉRMINO «NEGOCIACIÓN»

Antes de seguir adelante, definiré *negociación* tal como se utiliza en este libro. Según mi experiencia, lo que es la negociación, lo que conlleva y cuándo es relevante es algo que se puede considerar de forma demasiado restrictiva, aunque mi intención es utilizar la palabra en el sentido más amplio posible. Con demasiada frecuencia, cuando la gente oye el término «negociación», lo equipara a regatear o discutir, o se imagina a unas personas trajeadas que se afanan en alcanzar un acuerdo. Considera la negociación como algo que hacemos de vez en cuando o, lo que es peor, como una labor abrumadora o desagradable que deberíamos evitar en la medida de lo posible. Redundaría en nuestro beneficio considerarla de manera distinta.

Tras haber prestado asesoramiento en acuerdos multimillonarios, puedo afirmar con absoluta seguridad que la negociación no tiene nada que ver con los dólares ni los centavos. Después de haber asesorado a jefes de Estado sobre la forma de gestionar procesos de paz que están a punto de irse al garete, puedo asegurarles que la negociación no es algo que tenga que ver con la pérdida de vidas ni con vidas salvadas. Y al haber asesorado sobre negociaciones laborales, disputas familiares, alianzas estratégicas y treguas, estoy en situación de asegurar que la negociación no va de trayectorias profesionales, ni de control de emociones, ni de búsqueda de sinergias ni de detener balas.

En resumen, la negociación no tiene que ver con nada de lo que se está negociando. La negociación, con independencia del contexto o de las cuestiones en juego, trata fundamentalmente de las *relaciones humanas*. Por sencillos o complejos que sean los problemas, por bienintencionadas o maliciosas las partes, por familiares o inauditos los desafíos, la pregunta que siempre tratamos de responder en la negociación es esta: *¿De qué manera podríamos relacionarnos con otros seres humanos que nos lleve a mejorar el entendimiento y los acuerdos?* Da lo mismo que el acuerdo vaya a ponerse por escrito, como un contrato o un tratado, o que su ejecución vaya a fiarse a una buena fe recién implantada, unos incentivos renovados, una coordinación mejorada o simplemente a la esperanza que acompaña a un apretón de manos. Poco importa que el entendimiento sea entre individuos u organizaciones, grupos étnicos o países. La negociación tiene que ver siempre, en su esencia, con las relaciones humanas. A veces, tales relaciones son fáciles; en otras ocasiones, son más complicadas. Y, además, por supuesto, están las negociaciones que más nos interesan en este libro: las aparentemente imposibles.

La negociación, pues, es *el proceso por el que dos o más partes que perciben una diferencia en los intereses o perspectivas intentan alcanzar un acuerdo.* Los principios, estrategias y tácticas que nos ayudan a lograrlo en situaciones sumamente difíciles constituyen el objetivo de este libro.

Estancamientos y conflictos difíciles

Este libro incluye docenas de historias extraídas de muchos y diferentes ámbitos.[3] Al seleccionar los ejemplos, me he centrado en la

---

3. Como no podía ser de otra manera, algunas de las historias incluyen situaciones que fueron aun más complejas que las versiones que se relatan aquí: más partes, más fuerzas en juego y más puntos controvertidos. La intención ha sido la de arrojar una luz más intensa sobre los acontecimientos y acciones que ilustran importantes principios y estrategias de negociación de aplicación general. Con todo, no se han escatimado esfuerzos para no exagerar ni restar importancia al papel que cualquier elemento desempeñara en los resultados definitivos.

clase de problemas a los que las personas suelen admitir enfrentarse en sus vidas: estancamientos y conflictos desagradables. Un *estancamiento* es una situación en la que las personas plantean exigencias incompatibles y ninguna de las partes está dispuesta a ceder. Analizaremos situaciones en las que el estancamiento es tan grave que amenaza íntegramente al acuerdo o a la relación, aunque también vincularemos las enseñanzas a situaciones menos extremas. Un conflicto es cualquier situación en la que las personas tienen intereses contrapuestos o perspectivas divergentes. Los *conflictos difíciles* son aquellos en los que las personas se enfrentan a unos obstáculos formidables para alcanzar un acuerdo, como por ejemplo: la desconfianza, el rencor, las complicaciones o un historial prolongado de hostilidad. Veremos ejemplos de todo esto a lo largo del libro, mientras vamos extrayendo enseñanzas para manejar conflictos de todo tipo.

CÓMO ESTÁ ORGANIZADO EL LIBRO

Las historias y enseñanzas de este libro están organizadas en tres secciones, cada una de las cuales hace hincapié y explora una de las tres herramientas: la formulación, el procedimiento y la empatía. Cuál de estas herramientas será la clave para resolver un problema dado —o si se tendrán que utilizar múltiples herramientas— dependerá de la situación. Por separado, cada una de las tres es sumamente eficaz; juntas, proporcionan un método exhaustivo para negociar lo imposible.

- La *Primera Parte* se centra en el **asombroso potencial de la formulación**. Los negociadores eficaces saben que el *cómo* se articulen o estructuren las propuestas, puede ser tan importante como *lo que* se esté proponiendo.

- La *Segunda Parte* versa sobre el **papel fundamental del procedimiento** en la determinación de los resultados. Gestionar el procedimiento con astucia puede ser más importante que negociar con firmeza los contenidos del acuerdo.

- La *Tercera Parte* aborda la **tremenda influencia de la empatía.** Un enfoque desapasionado y metódico para comprender los intereses y perspectivas reales de todos los actores relevantes, puede ayudar a resolver incluso los conflictos más desagradables.[4]

No todos los problemas de relaciones humanas, por supuesto, se van a resolver ni rápida ni fácilmente. Muchos de los peores conflictos exigen un esfuerzo tremendo, una perseverancia estratégica y una afortunada elección del momento oportuno. Pero también hay ocasiones en que lo más necesario es algo ligeramente distinto: la capacidad para controlar el encuadre, configurar el procedimiento y descubrir posibilidades donde los demás no ven nada.

Y dicho esto, confío en que disfruten de las historias. Espero que extraigan enseñanzas de utilidad, y deseo que el libro les anime a considerar todos los problemas de relaciones humanas como una oportunidad para alcanzar un mayor entendimiento y unos acuerdos mejores.

---

4. La realidad rara vez es condescendiente con los sistemas de clasificación sencillos; las grandes historias arrojan múltiples enseñanzas, y los negociadores competentes hacen más de una cosa bien. Algunas de las historias podrían encajar fácilmente en más de una sección. He asignado las historias y las enseñanzas entre las tres secciones de manera que creen un relato que constituya un todo que sea mayor que la suma de sus partes

Primera parte
EL PODER
DE LA FORMULACIÓN

Sí, tengo trucos en el bolsillo, y cosas bajo la manga. Pero soy lo opuesto a un ilusionista común. Este les brinda una ilusión con apariencia de verdad. Yo les ofrezco la verdad bajo el grato disfraz de la ilusión.

Tom Wingfield, en
El zoo de cristal, de Tennessee Williams

1

EL PODER
DE LA FORMULACIÓN

Negociación en la NFL

Se les tiene que ocurrir alguna idea nueva. No paran de hablar **《***sin escucharse* los unos a los otros.»[1] Estas fueron las palabras cargadas de exasperación del juez de primera instancia de los Estados Unidos Arthur Boylan, al que se le había encomendado ayudar a la resolución de un conflicto creciente entre los jugadores y los propietarios de la Liga Nacional de Fútbol Americano (NFL). Estamos en mayo de 2011, y los dueños de los equipos ya han declarado el cierre patronal. Gran parte de la actividad está teniendo lugar en los juzgados, donde cada parte intenta obtener ventaja echando mano de argucias legales. A fin de cuentas, si no se puede llegar a un acuerdo, la siguiente temporada está en peligro. Y esta no es solo una posibilidad teórica: en el año 2005, una prolongada disputa entre los dueños y los jugadores de la Liga Nacional de Hockey había diezmado toda una temporada, aniquilando más de dos mil millones de dólares de ingresos previstos. La NFL tiene incluso más que perder, pues son aproximadamente diez mil millones de dólares los que están en la cuerda floja.

---

1. King, Peter, «An Unsung Hero in the League Office», *Sports Illustrated*, 1 de Agosto de 2011.

Siendo tanto el dinero que está en juego en los deportes profesionales, uno puede estar seguro de que, de vez en cuando, la actividad en la mesa de negociaciones rivalizará con lo que los aficionados puedan llegar a ver en el campo. Lo que se dilucidaba en 2011 era el futuro del nuevo convenio colectivo (CC), un contrato plurianual entre los propietarios y el sindicato de jugadores que regula la negociación de los contratos individuales de todos los jugadores de la NFL. El CC también determina, entre otras cosas, la distribución de los ingresos entre los jugadores y los propietarios, el tope salarial, el salario mínimo, las normas de los intermediarios, las condiciones del *draft* anual [selección de jugadores novatos] y las condiciones laborales. Como en la mayoría de las controversias sobre los convenios colectivos en los deportes, una de las cuestiones más destacadas y polémicas del año 2011 giraba en torno al reparto de los ingresos entre propietarios y jugadores. En otras palabras, ¿qué porcentaje de los ingresos del juego debería ir a los jugadores, y qué porcentaje a los dueños? En este caso, estos últimos exigían de antemano una bonificación de dos mil millones en concepto de apoyo a las inversiones antes de que se procediera a ningún reparto de los ingresos, tras lo cual los jugadores recibirían aproximadamente el 58 por ciento de lo que quedara. Los jugadores se oponían a tal bonificación previa a los propietarios y proponían ir a medias en *todos los ingresos*.[2]

¿Cómo resolver una disputa en la que las exigencias de cada parte suman más de lo que hay encima de la mesa, y ninguna está dispuesta a ceder?

---

2. Aunque sea simplificar demasiado, si estimamos los ingresos de la NFL en 10.000 millones de dólares, la propuesta de los dueños supondría que aproximadamente el 46,4 por ciento de todos los ingresos iría a los jugadores: 0,58 * [10-2] = 4.640 millones.

NEGOCIAR LO IMPOSIBLE

El conflicto se agravó, y la negociación de buena fe dio paso a las argucias legales, las tácticas extremistas e incluso las peticiones al Congreso de los Estados Unidos para que interviniera. Al final, se produjo un avance. La solución surgió cuando las partes aprobaron una propuesta (planteada por los propietarios) que requería que el reparto de los ingresos se estructurase de una manera completamente nueva. En consecuencia, decidieron que la manera de avanzar consistía en dejar de negociar sobre «qué porcentaje de los ingresos totales» iría a cada una de las partes. En vez de eso, dividirían «todos los ingresos» en tres cestas independientes que representaban a las diferentes fuentes de ingresos de la NFL. A continuación, negociarían un reparto porcentual de los ingresos diferente para cada una de las cestas. La idea dio resultado. El acuerdo definitivo, firmado el 2 de agosto de 2011, establece que los jugadores recibirán:

- El 55 por ciento de los ingresos por los derechos de difusión de la Liga (por ejemplo, ingresos por los derechos de televisión)

- El 45 por ciento de los ingresos por negocios y las eliminatorias (por ejemplo, ingresos provenientes de los negocios relacionados con la NFL)

- El 40 por ciento de los ingresos locales (por ejemplo, ingresos de los estadios)

La solución, no obstante, plantea la siguiente pregunta: ¿Qué porcentaje de *todos los ingresos* reciben los jugadores en virtud de este acuerdo? Si hacemos cuentas, estas indican que la solución de las tres cestas otorga a los jugadores entre el 47 por ciento y el

48 por ciento de los ingresos totales durante el primer año de contrato. Pero, ¡un momento! Si ese es el caso, ¿por qué tomarse la molestia de crear tres cestas con diferentes porcentajes cada una? ¿Por qué no ahorrarse el lío de crear un nuevo sistema de contabilidad y acordar simplemente que los jugadores reciban aproximadamente el 47,5 por ciento de todos los ingresos?

Existe una explicación económicamente racional de por qué tres cestas puede ser una solución más inteligente que una única cesta grande. Por ejemplo, pensemos en lo que sucede después del primer año de contrato. Si los jugadores confían en que los ingresos por los derechos de difusión de la liga crezcan más deprisa y en consecuencia en el futuro represente una participación mayor en todos los ingresos, y los propietarios prevén que los ingresos locales crezcan más rápidamente, entonces el enfoque de las tres cestas es una solución generadora de valor: otorga a cada parte un porcentaje mayor de la cesta que más valora. El único problema con esta explicación económicamente racional es que tiene muy poco que ver con la razón de que ambas partes aceptaran las tres cestas. Podemos estar seguros de que la explicación económicamente racional es insuficiente porque, cuando seguimos leyendo el convenio colectivo, nos encontramos con otra disposición redactada en los siguientes términos:

Si en alguna de las temporadas de las Ligas 2012-2014, el Importe del Coste de Jugadores... supera el 48 por ciento de los «Ingresos Totales» Previstos, entonces el Importe del Coste de Jugadores se reducirá al 48 por ciento de los «Ingresos Totales» previstos...

Si durante alguna de estas temporadas de la Liga, el Importe del coste de Jugadores es inferior al 47 por ciento de los «Ingresos Totales» previstos, el Importe del Coste de Jugadores se incrementará hasta el 47 por ciento de los «Ingresos Totales» previstos.

En otras palabras, lo que están acordando las dos partes es que aproximadamente el 47,5 por ciento de todos los ingresos vayan a parar a los jugadores. Si el porcentaje se desvía de manera significativa de ese 47,5 por ciento en cualquier sentido, se le hará volver a esta horquilla relativamente estrecha.[3]

Así que seguimos haciéndonos la misma pregunta: ¿por qué tomarse la molestia de crear tres cestas, si el acuerdo es prácticamente idéntico al que podrían haber logrado acordando cualquier porcentaje concreto sobre todos los ingresos para cada año del contrato? Para responder a esto, primero tenemos que tener presente que muy pocas personas estudian realmente con atención esta clase de contratos, y que casi ningún medio de comunicación informa exhaustivamente o analiza los detalles más sutiles del acuerdo. En segundo lugar, y aunque sea prácticamente intrascendente, en los años siguientes existe la posibilidad de un pequeño grado de desplazamiento en el reparto de los ingresos. Y, sobre todo, el enfoque de las tres cestas es mejor que el enfoque de la única cesta en un aspecto esencial: permite que cada parte se vuelva hacia sus mandantes y cante victoria. Esto es, proporciona el margen suficiente para que los negociadores de la liga informen a los propietarios que pueden conservar un porcentaje más alto de los ingresos allí donde los ingresos de los propietarios son mayores (por ejemplo, los ingresos relacionados con los estadios), y permite que los negociadores de la Asociación de Jugadores anuncien que obtienen más del 50 por ciento de los ingresos cada vez que los aficionados encienden la televisión.

CONTROLAR LA FÓRMULA

Como demuestra el ejemplo de la NFL, incluso en las negociaciones difíciles en las que las partes están estancadas, la paralización

---

3. El límite superior en los años 2015-2020 sería del 48,5 por ciento.

se puede resolver sin utilizar el dinero o la fuerza.[4] Aunque la disputa giraba en torno al dinero, la liga no tuvo que seguir poniendo más dinero encima de la mesa para conseguir que los jugadores aceptaran el acuerdo. Antes bien, lo que hicieron es una fantástica muestra del poder de la *formulación*: se puede hacer que unas propuestas objetivamente idénticas sean más o menos atractivas simplemente por la forma en que son planteadas. La «fórmula» de la negociación es un *prisma psicológico*. Esto es, se trata de un sistema de creación de sentido que influye en la manera en que las personas se perciben mutuamente y perciben los problemas planteados y las opciones existentes. Prácticamente no existen límites a la cantidad y tipos de fórmulas que pueden surgir en una negociación. Por ejemplo, los negociadores pueden analizar un acuerdo a través de un prisma financiero o estratégico, verlo desde una perspectiva de a corto o a largo plazo o considerarlo como una relación amistosa u hostil. De igual manera, los diplomáticos pueden analizar un problema desde un punto de vista político o de la seguridad, considerarlo bien un problema esencial, bien tangencial, o contemplarlo en un contexto histórico o actual. Los negociadores pueden evaluar una propuesta en función de sus aspiraciones iniciales en cuanto al acuerdo, o de si sale bien parada en comparación con lo que los demás han logrado, o de cómo la juzgarán los demás.

No hay fórmulas «correctas» ni «incorrectas», pero qué fórmula se establezca tiene importantes consecuencias en la forma de comportarse de las partes y en lo que en última instancia estén dispuestas a aceptar. Por ejemplo, a veces los asuntos de poca importancia que realmente no preocupan demasiado a nadie llegan a impregnarse de tanta significación política o simbólica que

---

4. Esto no quiere decir que las dos partes no estuvieran intentando también coaccionar a la otra parte en los medios de comunicación y en los juzgados.

ninguna de las partes está dispuesta a, ni puede, claudicar. En los últimos años, los demócratas y los republicanos del Congreso de los Estados Unidos se han venido enfrentando ampliamente a este problema: el transigir en el asunto más insignificante es considerado por muchos, tanto en un bando como en otro, como una traición absoluta, razón por la cual resulta más difícil alcanzar un acuerdo incluso cuando es mucho lo que está en juego y hay respaldo de sobra en las filas de ambos partidos al fondo del asunto.

Cabe destacar que los negociadores casi siempre tienen la capacidad de influir en la fórmula, y como veremos, la *reformulación* puede convertirse en una eficaz herramienta para superar los obstáculos que impiden alcanzar un acuerdo. Con independencia de lo que objetivamente esté en juego, lo que en gran medida determina la manera que tiene la gente (o sus mandantes) de enfocar un problema depende del sentido *subjetivo* que le dé. Los negociadores son reacios a hacer concesiones a los que perciben como adversarios, pero están más predispuestos a ello cuando entienden la tarea como un esfuerzo conjunto para resolver un problema. Los negociadores que plantean un conflicto en términos de «el ganador se lo lleva todo» tendrán más dificultades que los negociadores que creen que es posible que todos «ganen». Los negociadores estarán más o menos dispuestos a aceptar ciertas propuestas cuando adoptan un prisma a corto plazo antes que uno a largo plazo, o cuando la oferta parece mejor y no peor de lo que inicialmente esperaban. Al analizar el poder de la formulación en esta sección, prestaremos especial atención a *cómo se pueden reformular unas propuestas y opciones objetivamente idénticas para hacerlas más atractivas* para la otra parte. Prestar atención no solo al fondo de lo que se está negociando, sino también a los prismas a través de los que las partes están evaluando sus opciones, a veces puede ayudar a resolver estancamientos aparentemente imposibles.

> *Controlemos la formulación de la negociación.*
> *La fórmula que se establezca definirá la manera en*
> *que los negociadores tomen sus decisiones, evalúen las*
> *opciones y decidan lo que es aceptable.*

LA IMPORTANCIA DE AYUDAR A LA OTRA PARTE A RETROCEDER

Los problemas a los que se enfrentan los negociadores en las primeras etapas de la negociación pueden ser bastante diferentes de los que afronten a medida que avanzan las conversaciones. Una diferencia fundamental está relacionada con los motivos por los que alguien insiste tozudamente en plantear exigencias que seguramente la otra parte no puede satisfacer. Cuando esto sucede al principio de la negociación, suele ser síntoma de que no hemos conseguido establecer las expectativas adecuadas sobre lo que *es* posible. Tal cosa puede llevar a la otra parte a pedir lo imposible, esto es, a exigir concesiones que para uno son verdaderos motivos de ruptura. Esta es la razón de que sea una buena idea instruir *desde el principio* a la otra parte sobre los límites de lo que se puede ofrecer y las áreas donde se tiene más o menos flexibilidad. Los negociadores no suelen hacer esto en la falsa creencia de que la otra parte está suficientemente bien informada de los parámetros de la negociación, o porque les preocupa que discutir cualquier limitación o restricción suscite dudas acerca de su valor como socio. Puede también que no exista la suficiente confianza, lo que hace más difícil a ambas partes creer que la otra esté realmente tan constreñida, o que verdaderamente haya muy poco margen de movimiento.

Cuando las personas están *inicialmente* bloqueadas en lo que respecta a unas posturas incompatibles, suele significar que sus aspiraciones son irreales y que sencillamente no hay un monto suficiente encima de la mesa para satisfacerlas. Si ambas partes quieren más del 50 por ciento del fondo común, tenemos un serio problema, y cuanto antes nos demos cuenta de que eso no tiene nada que ver con una falta de habilidades matemáticas deficientes, mejor para nosotros. Ese fue sin duda el caso en la NFL. Y ese mismo problema surge con frecuencia en las negociaciones diplomáticas y en las disputas empresariales.

Pero en algún momento del proceso, puede que después de semanas de relaciones, o de meses de fomentar la confianza, o de años de estancamiento, una o ambas partes pueden llegar a la conclusión de que sus demandas iniciales no son posibles y de que será necesario hacer importantes concesiones para evitar un resultado verdaderamente desastroso. Cuando ese día llega, puede que nos encontremos con que la gente *sigue* sin estar dispuesta a rebajar sus exigencias. Entonces, ya no tenemos que resolver un problema de educación o de confianza; el problema estriba en cómo conseguir que la otra parte *admita* que inicialmente pidieron más de lo razonable y que reculen y acepten lo que es *realmente* posible. El problema es aún peor cuando la otra parte tenga que retroceder públicamente porque se empeñaron en posturas agresivas delante de otros (por ejemplo, sus mandantes o los medios de comunicación). De acuerdo con mi experiencia, a menudo es relativamente más fácil conseguir que la gente entienda que se ha extralimitado y que sus exigencias son imposibles de satisfacer; es mucho más difícil conseguir que lo reconozcan y cambian de actitud. Tal fue el problema al que los negociadores de la NFL se enfrentaron... y al final resolvieron.

> *Convencer a la otra parte de que tendrá que ceder o retractarse de sus posturas iniciales no es suficiente. Hay que conseguir que les resulte fácil retroceder.*

NEGOCIEMOS EL ESTILO Y LA ESTRUCTURA, NO SOLO EL FONDO

Cuando las negociaciones de la NFL estaban bloqueadas, ambas partes podrían haber intentado hacer más atractivo el acuerdo a la otra reduciendo sus propias exigencias en cuanto a los ingresos. Pero esta habría sido una concesión onerosa. Como demuestra la solución que alcanzaron, no siempre se trata de arrojar dinero al problema para que las cosas avancen. A veces, unas concesiones sensatas sobre el estilo y la estructura pueden resolver el problema más económicamente que las concesiones gravosas sobre el fondo. En este caso, la solución de las tres cestas parece haber ayudado a las partes a aceptar un acuerdo que no parecía apetecible con la estructura de la cesta única, aunque el valor objetivo del acuerdo fuera casi idéntico. Los negociadores que tienen presente el estilo y la estructura están mejor situados para vencer la resistencia, sortear el estancamiento y lograr mejores resultados.

> *Las concesiones sensatas sobre el estilo y la estructura pueden ayudar a resolver de manera más económica un problema que las concesiones onerosas sobre el fondo.*

En el capítulo siguiente, examinaremos con más atención las diferentes maneras en las que la formulación puede ayudar a desbloquear una situación sin recurrir al dinero ni a la fuerza. Con ello,

extraeremos más principios para resolver conflictos de todo tipo.
También dedicamos especial atención a dos factores que intervinieron en las negociaciones de la NFL y que pueden hacer que los bloqueos sean especialmente difíciles de superar. En primer lugar, está el *problema de la audiencia*. La otra parte puede no estar preocupada solamente con lo que obtendrá de nosotros, sino también con la manera en que otros juzgarán que acepten nuestra oferta. En segundo lugar, tenemos el *problema de la suma cero*. En una situación así la cantidad que gana una parte debe ser exactamente igual a la que pierde la otra.[5] Cuando la gente se estanca en la negociación sobre un único asunto conflictivo y no hay otros intereses en juego, le resulta difícil hacer concesiones sin sentir que ha perdido y que la otra parte ha ganado. Veamos cómo se podrían solucionar estos problemas.

---

5. Por ejemplo, si hay 100 dólares a repartir entre dos, y no hay en juego ninguna otra cuestión o interés, cada dólar que obtenga una parte conlleva que la otra reciba 1 dólar menos (y viceversa).

2
APROVECHAMIENTO
DEL PODER DE FORMULACIÓN

Estancamiento respecto a los porcentajes del canon

Estábamos negociando un importante acuerdo comercial.[1] La empresa a la que yo asesoraba era una compañía incipiente que había creado un producto potencialmente revolucionario en un sector industrial multimillonario. La gente sentada al otro lado de la mesa confiaba en obtener la patente de nuestro producto y ayudar a situarlo en el mercado. En consecuencia, teníamos que negociar una gran diversidad de asuntos: los derechos de explotación, el porcentaje del canon, las disposiciones de exclusividad, las etapas, los compromisos de desarrollo, etcétera. Nos bloqueamos en el porcentaje del canon, esto es, en el tanto por ciento sobre el precio de venta que nos pagarían por cada unidad de producto que vendieran.

Había habido algunas conversaciones previas en las que las dos partes habían acordado de forma muy informal que un porcentaje de canon del 5 por ciento sería razonable. Con el paso del tiempo, aparentemente nuestras respectivas interpretaciones en

---

1. Algunos detalles de este ejemplo han sido modificados o dejado fuera de la historia para preservar el anonimato de las personas y empresas implicadas. La esencia de la historia y la importancia de las enseñanzas no han sufrido modificación alguna.

relación a la aplicación de dicho porcentaje fueron difiriendo ligeramente. En nuestra opinión, el 5 por ciento era bajo, aunque sería aceptable como porcentaje inicial a pagarnos; a medida que el producto cobrara impulso y fuera validado por el mercado, nos parecía que el porcentaje del canon debía incrementarse hasta alcanzar el nivel superior que correspondiera. Según lo entendíamos, nuestra tecnología estaba todavía en fase de desarrollo, el ritmo inicial de ventas podría ser lento y las fuertes inversiones a realizar por la otra parte en la fabricación justificaban una concesión por nuestra parte.

Su punto de vista difería notablemente. La otra parte sostenía que debido a sus inversiones, al principio el porcentaje del canon debería acercarse a cero; al cabo de dos o tres años, entraría en vigor el porcentaje del 5 por ciento; y a partir de ese momento, los porcentajes del canon deberían *disminuir*, no aumentar. ¿Y por qué deberían bajar?, preguntamos. «Porque en nuestro sector, siempre vemos que con el paso del tiempo los porcentajes de los cánones disminuyen, no aumentan. Así son las cosas», respondieron. Después de algún tanteo más, la otra parte dio otro argumento: «Si con el tiempo vamos a realizar más ventas de su producto, deberían estar dispuestos a aceptar un porcentaje menor».

Nuestra esperanza inicial era que pudiéramos evitar afrontar esta cuestión directamente, dado que el importe del acuerdo global era bastante elevado y, con tanto dinero en juego, este era un aspecto que no debía ser un motivo de ruptura para la otra parte. A medida que pasaban los días sin que apenas se produjera algún avance, nos dimos cuenta de que en realidad ellos estaban estancados en la idea de que «se supone que los porcentajes del canon tienen que bajar.» ¿Les preocupaba el precedente que esto pudiera suponer para otros acuerdos? ¿Era algo que le habían prometido a su consejo de administración y ahora no querían quedar mal? ¿O solo estaban tratando de conseguir unas condiciones financieras mejores? Por más que lo intentamos, no conseguimos hacer los números para trabajar con unos porcentajes que fueran descendiendo con el tiempo. Y si intentábamos satisfacer su deseo de unos porcentajes más bajos durante el primero o los dos primeros años, eso incrementaría nuestra necesidad de recibir unos porcentajes mayores después. ¿Qué hacer?

SIN RECURRIR AL DINERO NI A LA FUERZA

Hay ocasiones en que dos partes mantienen sendas posturas contradictorias y una tiene que ceder. Hay otras veces en que las dos partes transigen y se encuentran en el punto medio (por ejemplo, podríamos haber acordado un porcentaje fijo para siempre). Y, además, están las ocasiones en que las leyes de la física no rigen necesariamente las negociaciones: las cosas puede subir y bajar al mismo tiempo.

El avance se produjo cuando nos dimos cuenta de un punto flaco en la forma en que estábamos abordando la discusión: estábamos bloqueados en la negociación de los porcentajes del canon en una dimensión (*el tiempo*), cuando nuestras perspectivas discrepantes dejaban bien a las claras que intervenían dos dimensiones: el transcurso del *tiempo* y el volumen de *ventas*. A lo mejor podíamos potenciar esto para crear un cuadro de porcentajes del canon que subiera y bajara por igual. Si la otra parte necesitaba demostrar que los porcentajes bajaban a lo largo del tiempo, quizá pudiéramos satisfacer esto y aun así salvaguardar nuestro intereses financieros cuando las ventas del producto aumentaran. En este sentido, les enviamos una tabla de porcentajes que ya no detallaba los porcentajes en función del tiempo. En vez de eso, elaboramos un gráfico en dos dimensiones que relacionaba los porcentajes tanto en función del tiempo como del volumen de ventas. Era algo así como la Tabla 1.[2]

TABLA 1

Volumen ventas	Año 1	Año 2	Año 3	Año 4	Año 5	...	Año 10
200.000	9,5%	9%	8,5%	8%	7,5%	...	7%
180.000	8	8	7	7	0		0
160.000	7	7	6	6	5		5
140.000	6	6	5	5	4		4
120.000	5	5	4	4	3		3
100.000	4	4	3	3	2		2
80.000	3	3	2	2	1		1
60.000	2	2	1	1	1		1
40.000	1	1	1	1	1		1
20.000	1	1	1	1	1		1
0	0	0	0	0	0	0	0

En lugar de un porcentaje de canon único, para cada año tendríamos una serie (con un máximo y un mínimo) basada en el volumen de ventas. Cabe destacar que el *porcentaje máximo de canon* de cada año *disminuiría* con el transcurso del tiempo (fila superior), lo que confiábamos satisficiera la exigencia de la otra parte de unos porcentajes decrecientes. Al mismo tiempo, el *porcentaje real de canon* de cada año podría *aumentar* anualmente si vendíamos más. Nuestras expectativas de cómo se materializarían realmente los porcentajes quedan reflejadas en la Tabla 2, en la que las celdillas destacadas muestran nuestras previsiones internas.

---

2. La tabla ha sido modificada para garantizar el anonimato de las partes.

TABLA 2

Volumen ventas	Año 1	Año 2	Año 3	Año 4	Año 5	...	Año 10
200.000	9,5%	9%	8,5%	8%	7,5%	...	7%
180.000	8	8	7	7	6		0
160.000	7	7	6	6	5		5
140.000	6	6	5	5	4		4
120.000	5	5	4	4	3		3
100.000	4	4	3	3	2		2
80.000	3	3	2	2	1		1
60.000	2	2	1	1	1		1
40.000	1	1	1	1	1		1
20.000	1	1	1	1	1		1
0	0	0	0	0	0	0	0

Dio resultado. La otra parte discutió algunas de las cantidades de la tabla, pero esta nueva propuesta contribuyó a replantear nuestro diálogo y evitó el estancamiento. Las dos partes ya no seguimos discutiendo sobre la trayectoria del canon ni las razones para que debiera aumentar o disminuir, y en las siguientes semanas el asunto desapareció por completo. El acuerdo definitivo contenía una versión simplificada de la tabla de porcentajes del canon (con menos columnas y filas) que tenía en cuenta tanto el tiempo como la cantidad. Aunque quizá no *sustancialmente* distinto a lo que podría haberse logrado acordando los porcentajes de canon en función de una dimensión, este *enfoque estilístico* contribuyó a que nuestro interlocutor se sintiera más cómodo con el aspecto del acuerdo y permitió que nosotros nos sintiéramos más a gusto con el resultado financiero.

PRESTEMOS ATENCIÓN A LA ÓPTICA DEL ACUERDO

Como pone de manifiesto este ejemplo, no se trata solo de *lo que* se propone, sino de *cómo* se plantea. Con demasiada frecuencia, los negociadores asumen erróneamente que si se entiende adecuadamente el fondo del asunto —esto es, si la propuesta es suficientemente valiosa para la otra parte—, entonces no hay que preocuparse de «su apariencia», aquello que denominamos la *óptica del acuerdo*. Pero aquí, como en las negociaciones de la NFL, el problema no estribaba en el valor de la tabla, sino en la manera en que fue formulada la propuesta.

El papel de la óptica es especialmente destacado cuando existe una audiencia. La audiencia pueden ser los votantes, los medios de comunicación, los competidores, unos futuros interlocutores en una negociación, un jefe, los colegas o incluso los amigos y la familia. Por lo general estamos al tanto de nuestra audiencia, aunque no prestamos la suficiente atención a la de la otra parte. De hecho, es tan importante tomar en cuenta a su audiencia como tener presente a la nuestra, sobre todo si a la otra parte le estamos pidiendo que se retracten o hagan alguna concesión considerable. Considerar a la audiencia de la otra parte como «su problema», es pasar por alto un principio esencial de las negociaciones más difíciles: no existe nada que se parezca a *su* problema; lo que aparentemente es el problema del otro, si queda sin resolver, al final se convierte en *nuestro* problema. Es posible que ya les hayamos hecho una oferta que supere sus alternativas, una que «deberían» aceptar, pero si no hemos prestado suficiente atención a los demás factores que influyen en sus decisiones, cabe que nos encontremos con que incluso nuestra generosa oferta es rechazada.

Prestemos atención a la óptica del acuerdo.
Lo que importa no es solo el fondo de lo que
ofrecemos, sino el aspecto que tiene para nuestros
interlocutores y su audiencia.

AYUDEMOS A LA OTRA PARTE A VENDERLO

En el libro *Supere el no* [Gestión 2000, Barcelona, 1997], William Ury echa mano de una contundente frase para destacar la importancia de ayudar a la otra parte con su audiencia. El autor nos dice que le «escribamos su discurso de la victoria». Siempre les pido a mis alumnos y a mis clientes que reflexionen detenidamente no solo sobre cuánta riqueza están proporcionando a la otra parte, sino también sobre la manera en que esta y su audiencia considerarán la oferta. *Pensemos en cómo pueden decir que sí a lo que les estamos proponiendo y aun así cantar victoria.* Si no se nos ocurre la manera de que puedan interpretar el acuerdo como una «victoria», podemos tener problemas.

Esto no significa que debamos utilizar argucias estilísticas o estructurales para vender los acuerdos que no sean los más favorables para los intereses de los representados de ambas partes. Más adelante, en esta misma sección, abordaremos la posibilidad y los problemas de hacer esto, pero por el momento valoremos la manera de que todos puedan beneficiarse de una formulación eficaz.

En el ejemplo de la NFL, la reelaboración de la propuesta con tres cestas ayudó a crear un discurso que las partes podían utilizar cuando volvieran a casa con lo que muy probablemente fuera el mejor acuerdo que fueran a conseguir. La reformulación contribuyó a evitar el estancamiento que se podría haber originado por la excesiva preocupación de los negociadores por su imagen, y no por lo que sería mejor para sus representados. En nuestras negociaciones sobre los porcentajes del canon fuimos capaces de idear una propuesta sustancial que a la otra parte le funcionó, aunque aun así necesitaron ayuda en la formulación de la propuesta para que las cuestiones tangenciales no la hicieran descarrilar.

Idéntico principio es de aplicación a los entornos menos complejos, como por ejemplo la negociación de una oferta de empleo. Si el director de contrataciones va a endulzar el acuerdo o hacer una excepción con el aspirante, necesitará tener la manera de justificarlo a nivel interno. Siempre recuerdo a mis alumnos de posgrado que ayuden a la otra parte con los razonamientos y el discurso que necesitan para explicar por qué la concesión que hicieron era adecuada y necesaria en ese caso.

Pensemos en la forma en que la otra parte va a vender el acuerdo, y formulemos la propuesta teniendo presente a su audiencia.

DEMOS SEGURIDAD A LA OTRA PARTE PARA QUE NOS PIDA AYUDA

No siempre resulta evidente que la otra parte necesite realmente una concesión en cuanto al fondo o tenga simplemente un problema con la opinión que nuestra oferta le pueda merecer a su audiencia. Como es fácil sospechar, la otra parte a menudo no está dispuesta a aclarar cuál de estos es el caso. Admitir que *no necesitan* ninguna concesión de fondo en absoluto, les puede salir caro si ya estuviéramos preparados para hacer una. Por otro lado, decirnos que nuestra propuesta es en efecto suficiente, socavará sus argumentos para plantear más exigencias. Por último, revelar que necesitan ayuda para vender el acuerdo, podría hacerles parecer débiles y quizá interrumpir el proceso de negociación. Todas estas son preocupaciones comprensibles que podrían provocar que alguien que está teniendo problemas con la óptica, actuara como si el acuerdo fuera sencillamente inaceptable.

Si hay suficiente confianza en la relación, hay más posibilidades de que la otra parte sea sincera en cuanto a lo que realmente se está interponiendo en el camino del acuerdo. Incluso cuando la confianza es escasa, un nivel saludable de respeto entre los negociadores puede ayudarles a que se envíen mutuamente señales si están estancados en la óptica. Tales señales suelen darse con un cierto grado de posible negación; las señales serán lo bastante ambiguas para que, si se les presiona, puedan negar tener tales necesidades, aunque *unos saben, y los otros también,* que se envió un mensaje.

Es importante recordar que incluso esas señales son difíciles de conseguir si se nos considera alguien que siempre saca provecho de los síntomas más leves de debilidad de la otra parte. Para decirlo de manera sencilla: *Cuanta mayor seguridad le demos a la otra parte para que nos diga la verdad, más probabilidades hay de que nos la diga.*[3] La mejor manera de darles seguridad es demostrarles, mediante nuestros actos, que no sacamos provecho de todas las ventajas que vemos y que apreciamos los riesgos que están asumiendo al ser sinceros o transparentes sobre los temas importantes. De acuerdo con mi experiencia, para labrarse tales reputaciones no se necesitan negociaciones reiteradas ni acuerdos diversos que se prolonguen a lo largo de muchos meses o años; la fama de integridad y solvencia se fomenta con infinidad de pequeños detalles a lo largo del proceso de incluso un solo acuerdo. Por ejemplo, la confianza se establece correspondiendo cuando

---

3. Si castigamos a nuestros hijos cada vez que tienen el valor de decirnos la verdad sobre algo que hicieron mal, no nos sorprendamos si deciden revisar su estrategia.

los demás han compartido información sensible o hecho una concesión, cumpliendo con nuestros compromisos y mostrando una disposición a ser flexible siempre que sea posible, en lugar de luchar con uñas y dientes a cada momento.

Demos seguridad a la otra parte para que nos pida ayuda sobre la óptica. Labrémonos la fama de recompensar la transparencia y de no aprovecharnos de sus momentos de debilidad.

EVITEMOS LAS NEGOCIACIONES SOBRE UN ÚNICO ASPECTO

La negociación del porcentaje de canon pone de relieve un problema habitual en las negociaciones: el estancamiento en un único asunto conflictivo. Por ilógico que pueda parecer, las negociaciones suelen ser más fáciles cuando hay más de una cosa que discutir. Cuando sobre la mesa solo hay un asunto, y no es fácil ver la manera de que ambas partes consigan lo que quieren —o todo lo que les han prometido a sus audiencias— se suscita un problema de suma cero en el que al menos una de las dos va a sentir, o le va a parecer, que pierde. En tales situaciones, es útil examinar si se pueden poner otros asuntos sobre la mesa para que cada parte pueda marcharse con algo. Cuando uno de mis hijos quiere un juguete con el que está jugando uno de sus hermanos, acostumbro aconsejarle que vaya a buscar otro juguete que facilite el posible intercambio. Discutir sobre quién conseguirá el único juguete, tiene menos probabilidades de acabar bien.

Otra posibilidad sería considerar la vinculación o combinación de lo que de otra manera habrían sido dos negociaciones independientes sobre un único asunto, a fin de crear una negociación más fácil en lugar de dos más difíciles. A mis hijos les resulta más fácil ponerse de acuerdo sobre qué programa de televisión verán el viernes y el sábado si negocian ambos días al mismo tiempo y no si tienen una conversación distinta cada día. Lo que serían dos discusiones distintas se sustituye por una discusión en la que cada persona obtiene algo de valor.

A veces, presentar una segunda cuestión incluso relativamente menor es suficiente para desbloquear la situación. La «victoria» que ayudamos a crear para la otra parte no siempre necesita ser tan sustancialmente valiosa como la que ellos nos dan en relación al tema controvertido. Como queda dicho, puede que ellos ya estén dispuestos a tolerar que nos salgamos con la nuestra en el asunto conflictivo y solo estén buscando algo —lo que sea— en torno a lo cual crear un discurso que diga: «Ambas partes hicieron concesiones».

Hay que evitar negociar sobre un único asunto controvertido. Añadamos asuntos o vinculemos negociaciones sobre un solo tema independientes.

HAY QUE NEGOCIAR VARIAS CUESTIONES SIMULTÁNEAMENTE

Aunque la negociación gire en torno a diferentes problemas, si tengo que ceder en el asunto que estamos tratando en este momento con la esperanza de que la otra parte cederá en la cuestión que se discuta más tarde, puede que yo no esté dispuesto a correr ese riesgo. Para abordar tales problemas, suele ser aconsejable *negociar varias cuestiones al mismo tiempo*. En otras palabras, en lugar de tratar de alcanzar un acuerdo sobre un asunto cada vez, creemos el hábito de hacer «paquetes» de ofertas y contraofertas. Por ejemplo: «Esto es lo que podemos hacer sobre el Asunto A, a este punto es al que tenemos que llegar en el Asunto B, y esto es lo que podemos aceptar sobre el Asunto C». Esto tendría una doble finalidad. Primero, como queda dicho, elimina el riesgo de que una concesión hecha ahora no sea correspondida más tarde; podemos supeditar nuestra concesión a la de la otra parte. Segundo, con varias cuestiones de por medio en la misma discusión, a los negociadores les resulta más fácil hacer tratos sensatos cubriendo todos los temas; podemos resistirnos en lo que más nos importe a cambio de ceder en lo que la otra parte más valore. Por el contrario, cuando se negocia sobre un tema cada vez, la gente será igual de intransigente con lo que quiera que esté sobre la mesa en ese momento, lo cual dificulta la determinación de qué es lo que más le importa realmente a cada bando.

Por ejemplo, si estoy negociando un acuerdo empresarial complejo y alguien trata de negociar un único aspecto por separado (digamos el precio), por lo general cambiaré de conversación para incluir otros asuntos. Existen muchas maneras de hacer esto. Puedo decir sin más que mi postura sobre el precio depende de en qué punto nos encontremos en relación a otras condiciones, por lo que tenemos que tratar también esos otros asuntos antes de intentar cerrar el precio. También puedo hacer un «paquete» de ofertas que incluya otros acuerdos aparte del precio y aclarar que mi precio indicado supone las siguientes condiciones. Asimismo, puedo presentar múltiples ofertas, cada una con un precio distinto y condiciones diferentes, de manera que la otra parte pueda comprender mejor de qué manera están relacionados los asuntos y mi grado de flexibilidad. Cualquiera de estas tácticas puede ayudarnos a evitar que nos empantanemos en un asunto controvertido.

Negociar varios asuntos al mismo tiempo nos ayuda a identificar los acuerdos sensatos y a reducir el riesgo de que las concesiones no sean correspondidas.

LA DISPERSIÓN DEL CENTRO DE ATENCIÓN

Con varios asuntos encima de la mesa, es más fácil elaborar un acuerdo que permita a ambas partes exhibir algún triunfo. Por desgracia, incluso con varias cuestiones en debate, a veces hay una que adquiere prominencia sobre las demás, y todos empiezan a utilizarla como el único criterio para decidir quién gana y quién pierde. Ese fue precisamente el problema en las negociaciones de la NFL; aunque una parte recibiera unas concesiones monumentales sobre otros aspectos, la mayoría de los observadores siguieron utilizando el tema del reparto de los ingresos como el único barómetro del éxito.

Este es un fenómeno que también observamos en el debate de las leyes por los partidos políticos. Sus causas pueden variar. Habrá ocasiones en que los medios de comunicación u otras audiencias tienen una información o una experiencia limitadas para juzgar otra cosa que no sea el asunto predominante. Otras veces, lamentablemente, los propios negociadores exageran la importancia de una sola cuestión por mera sofistería. Los políticos podrían hacer esto para despertar el entusiasmo entre sus votantes, o los negociadores pueden hacerlo también sin darse cuenta mientras intentan exponer eficazmente sus posturas. En algunos casos, el problema surge incluso cuando no hay audiencia; un asunto adquiere preponderancia porque una o ambas partes han exagerado su importancia para justificar una postura inicial agresiva.

No permitamos que un solo tema adquiera excesiva preeminencia. Eduquemos a las audiencias sobre la forma de valorar el éxito, y limitemos la atención que se presta a cualquier asunto aislado.

DIVISIÓN DE UN ASUNTO EN DOS

Desde luego, existen situaciones en las que un único asunto es objetivamente el más importante. Y hay situaciones en las que, por más que lo intentemos, ningún otro asunto tiene relevancia (o se puede incluir) en la discusión. Incluso en estos casos, existe otra estrategia para evitar un desenlace donde tenga que haber un ganador y un perdedor: dividir el único asunto en dos o más. Esto es lo que hicieron los negociadores de la NFL al repartir una única cantidad de ingresos en tres diferentes «cestas» de ingresos. Y en la discusión del acuerdo empresarial hicimos algo parecido: dividiendo el «porcentaje de canon anual» en un «baremo anual del canon» y en un «canon basado en el volumen de ventas». Y volviendo al ejemplo de los hijos y los juguetes: si solo hay un juguete, se podría «dividir un asunto en dos» discutiendo quién juega con el juguete ahora, y quién más tarde. (Nota: no suele ser igual de efectivo partir físicamente el juguete en dos trozos, aunque hay excepciones a esto.)

Si solo hay un asunto, hay que tratar de dividirlo en dos o más cuestiones independientes.

DESENMASCARAMIENTO DE LOS INTERESES LATENTES

Lo que parece un asunto controvertido, a veces está compuesto de diversos intereses ocultos que *son* reconciliables. En tales situaciones, tal vez podamos desbloquear la situación desenmascarando los intereses latentes. Por ejemplo, pensemos en un empleado que está discutiendo un aumento de sueldo con un empleador que a todas luces no está dispuesto a conceder el aumento. La razón puede ser que el empresario no considere que el empleado se merece un aumento de sueldo tan cuantioso. Si es así, una opción sería que las dos partes «encontraran un punto medio» y cifraran una cantidad que ambas pudieran aceptar. Si no son capaces de determinarla, quizá sea el momento de que cada uno siga su camino. ¿Pero y si el patrón considera que la demanda de su trabajador *es* justa, y la única razón para que rechace la petición inicial son sus limitaciones presupuestarias para ese año? En tal caso, en lugar de buscar un punto medio, quizá sea aconsejable dividir el tema en el «salario de este año» y el «salario del año que viene». De esta manera, el empresario puede retrasar un golpe para el presupuesto, y el empleado conseguir un sueldo mucho más alto a partir del año entrante.

En otras palabras, es posible que ambas partes satisfagan sus intereses latentes (conseguir un aumento mayor, ceñirse al presupuesto), pero esto es algo que solo ocurrirá si dejan de discutir sobre «lo que quieren» y empiezan a hablar sobre sus motivaciones para «querer lo que quieren». Esto es conocido como pasar de las *posturas* (lo que la gente quiere) a los *intereses* (por qué lo quieren). Aunque se mantengan unas posturas contrapuestas acerca de un asunto, se pueden tener unos intereses compatibles. Y cuanto antes se pase de discutir sobre las posturas a analizar los intereses latentes, más deprisa se averiguará si las necesidades de ambas partes son reconciliables.

Las posturas incompatibles podrían estar escondiendo unos intereses latentes reconciliables. Comprender las razones de que la otra parte quiera algo puede conducir a un desenlace mejor que seguir discutiendo sobre las exigencias contrapuestas, o tratando de encontrar un punto medio.

FIRMES SOBRE EL FONDO, FLEXIBLES SOBRE LA ESTRUCTURA

Los negociadores eficaces son enérgicos cuando es necesario, y flexibles cuando se puede. Una vez que hayamos evaluado lo que cada parte pone encima de la mesa, y después de que hayamos considerado lo que sería justo exigir, debemos ser tan firmes como sea necesario sobre *lo que* nos merecemos. Pero nuestra firmeza sobre el fondo no debería desbordarse hasta convertirse en cabezonería en relación a la *forma* en que sean satisfechas nuestras exigencias. Como demuestran los ejemplos de la NFL y del porcentaje del canon, cuanto menos exigente se sea en cuanto a la estructura exacta del acuerdo, más probabilidades existen de que se alcance un acuerdo que satisfaga a todos. Esta flexibilidad otorga más opciones a la otra parte y aumenta las probabilidades de que pueda encontrar *alguna* manera de satisfacer nuestras necesidades. De acuerdo con mi experiencia, un mensaje que es conveniente enviar a la otra parte a lo largo de la negociación, en palabras y en hechos, es este: *Sé adónde tengo que llegar; soy flexible sobre cómo llegar allí.* En otras palabras: en cuantas más formas les permitamos pagarnos, más posibilidades tenemos de que nos paguen.

Seamos todo lo firmes que sea necesario en cuanto al fondo; seamos lo más flexibles posible sobre el estilo y la estructura.

EL DESBLOQUEO ES UN OBJETIVO A CORTO PLAZO BASTANTE VALIOSO

Quizá hayan notado que nuestra oferta de negociar los porcentajes del canon en dos dimensiones en lugar de en una no resolvió el problema de inmediato. Antes bien, la otra parte volvió a presionar sobre los elementos de la estructura y encontró defectos en la propuesta, el menor de los cuales no fue el hecho de que las cantidades eran demasiado elevadas para ellos. Pero lo que la propuesta *sí* consiguió fue que saliéramos del bloqueo sobre el asunto controvertido. A partir de ahí, empezamos a hablar de asuntos que eran esenciales y en última instancia reconciliables. Este es un aspecto esencial: la elaboración de propuestas que sean sensibles a las necesidades de la audiencia de la otra parte y que ayuden a maniobrar en torno a los temas polémicos, no resolverá necesariamente todo el conflicto ni cerrará la operación completa. Estas propuestas, sin embargo, reducirán el tiempo que se pase en una situación de bloqueo y aumentarán las probabilidades de que se pueda encontrar un acuerdo mutuamente aceptable.

Una propuesta formulada con sensatez no tiene que resolver toda la controversia. A veces el simple desbloqueo es la clave para allanar el camino hacia el acuerdo final.

En los ejemplos estudiados hasta ahora, el estancamiento vino provocado por los objetivos contrapuestos que tenían ambas partes, lo que les llevó a realizar demandas que parecían irreconciliables. Pero es posible llegar a un punto muerto incluso cuando los intereses de todos los presentes en la sala están en consonancia y todos se esfuerzan en lograr el mismo objetivo. Aun así, la gente podría estar en desacuerdo sobre la mejor manera de *alcanzar* ese objetivo. Esto puede suceder porque hay poca confianza o no se están exponiendo de manera eficaz los fundamentos de las propuestas, o bien porque todos tienen una idea previa, firme y distinta sobre el camino correcto a seguir. Estudiaremos varios de estos factores en juego en el siguiente capítulo, en un campo de las relaciones humanas muy distinto a las situaciones que hemos analizado hasta el momento. Veamos cómo la formulación de las tácticas puede contribuir a superar la resistencia psicológica a las ideas que son novedosas, extrañas o diferentes de las creencias o expectativas previas de una persona.

3

LA LÓGICA DE LA IDONEIDAD

Negociar a la sombra del cáncer

Uno puede tener la mejor y más innovadora propuesta, pero ¿cómo la presenta a alguien que insiste en hacer las cosas como las ha hecho siempre? Podemos tener presente lo que más le convenga a la persona, pero ¿cómo se puede negociar ante una gran resistencia al cambio? Uno puede tener razón, pero ¿cómo exponer los propios argumentos cuando la otra parte está emocionalmente apegada a una manera de proceder diferente?

Pensemos en el caso de los pacientes a los que se les diagnostica un cáncer de próstata de riesgo bajo.[1] La mayoría de los casos de cáncer de próstata en los Estados Unidos son detectados utilizando una prueba de detección conocida como del antígeno específico de próstata (AEP).[2] Hay pruebas suficientes de que muchos cánceres detectados mediante el AEP son *sobrediagnosticados*, esto es, el paciente habría pasado el resto del curso natural de su vida sin saber siquiera que tenía cáncer de próstata si no se

---

1. Este capítulo es en gran medida deudor del caso «Negociación a la sombra del cáncer», del que extrae directamente su terminología, y que fue escrito por Deepak Malhotra (autor de ese libro) y Behfar Ehdaie.

2. La detección del antígeno específico de próstata (AEP) conlleva un análisis de sangre que mide los niveles de la enzima AEP normal, responsable de la licuefacción del semen, a fin de determinar si hay alguna anomalía en la próstata. Esta puede estar causada por una infección, el cáncer o un traumatismo que altere la estructura de la próstata y provoque que se libere más AEP en la sangre.

hubiera sometido a la prueba del AEP.[3] En el Memorial Sloan Kettering Cancer Center (MSKCC) de Nueva York, una de las más destacadas instituciones en la investigación y tratamiento del cáncer, habitualmente se recomienda la «vigilancia activa» en los hombres con cáncer de próstata de riesgo bajo, y se prefiere a tratamientos como la cirugía y la radioterapia que pueden provocar efectos secundarios, entre ellos la incontinencia y la disfunción eréctil. Tal recomendación está en consonancia con las directrices de la Red Nacional General de lucha contra el Cáncer y la asociación Norteamericana de Urología.

Los pacientes sometidos a vigilancia activa (VA) son controlados minuciosamente mediante pruebas de AEP, biopsias de repetición y reconocimientos médicos; si hay algún indicio de que la enfermedad ha avanzado a una categoría de riesgo más elevado, entonces se recomienda a los pacientes que sigan un tratamiento (por ejemplo, cirugía o radioterapia). Un programa de VA suele incluir pruebas de laboratorio y reconocimientos cada seis meses y una biopsia de repetición cada dos años, a fin de detectar cualquier avance de la enfermedad.

Cuando el doctor Behfar Ehdaie, especialista en salud pública, empezó a practicar la cirugía en el MSKCC, se encontró con que solo un 60 por ciento de los pacientes a los que había recomendado una VA la seguían; todos los demás optaban por la cirugía o la radioterapia y no estaban dispuestos a aceptar la vigilancia activa, tal como se les había recomendado. Otros médicos del MSKCC tenían parecidos índices de cumplimiento cuando recomendaban la VA. Además —y como es comprensible— incluso las charlas que el médico solía mantener con los pacientes que *aceptaban* someterse a una VA eran

---

3. Gulati, Roman, Lurdes Inoue, John Gore, Jeffrey Katcher y Ruth Etzioni, «Individualized Estimates of Overdiagnosis in Screen-Detected Prostate Cancer», *Journal of The National Cancer Institute*, 106, 2 (2014).

extensas y difíciles. ¿Por qué tantos pacientes se mostraban reacios a aceptar la recomendación de un experto, aun sabiendo que posiblemente el médico habría ganado más dinero proponiendo la cirugía, y aun cuando esta y la radiación causan perjuicios considerables a la calidad de vida? ¿Qué se podía hacer de forma diferente para conseguir mejores resultados en los pacientes?

SIN RECURRIR AL DINERO NI A LA FUERZA

El doctor Ehdaie y su colaborador, el doctor Andrew Vickers, empezaron a probar distintas maneras de mejorar la forma de abordar la VA con los pacientes. Cuando el doctor Ehdaie se puso en contacto conmigo, lo hizo con la idea de que trabajáramos juntos para perfeccionar su método de abordar la vigilancia activa y, de un modo más general, para ayudar a los demás médicos a mejorar su comunicación con los pacientes. Obsérvese que su objetivo *no* consistía en conseguir que los demás médicos prescribieran la VA o cualquier otro remedio —esa es una decisión que debe tomar cada galeno—, sino en ayudar a los facultativos a ser más eficaces cuando hicieran cualquier recomendación que considerasen adecuada.[4]

Aparentemente, el problema fundamental radicaba en que se pedía a los pacientes que considerasen una opción que no tenía nada que ver con lo que inicialmente habían imaginado que escogerían o deberían escoger. ¿Cómo vencer, pues, esa resistencia? ¿Cómo podríamos ayudar a los pacientes a que considerasen concienzudamente lo que más les convenía hacer? Aprovechando algunas ideas que el doctor Ehdaie ya había empezado a poner en práctica, trabajamos conjuntamente en el perfeccionamiento del método basándonos en las investigaciones psicológicas existentes y en mi experien-

---

4. La idoneidad de la vigilancia activa de un paciente depende de muchos factores que deben ser escrupulosamente considerados por el médico.

cia en ayudar a las organizaciones a que expongan su propuesta de valor a los clientes y accionistas. Los resultados han sido espectaculares. Desde que se modificó la charla en consulta, según los datos recogidos a lo largo de tres meses, la adopción de la VA por los pacientes del doctor Ehdaie ha pasado del 60 por ciento al 95 por ciento. ¿Y cuánto le ha costado realizar el cambio? *Menos que nada.* En primer lugar, el nuevo planteamiento no necesitaba ningún cambio costoso en la estrategia, la estructura administrativa o las relaciones entre los médicos, los hospitales y las compañías aseguradoras. Además, su tiempo medio de consulta para los pacientes de riesgo bajo realmente *disminuyó* hasta unos 35 minutos, en comparación con los más de 60 minutos que se necesitaban con anterioridad a la puesta en práctica del nuevo método. Las conversaciones ya no solo eran más efectivas, sino también más eficientes.

A continuación expongo algunos de los principios que el doctor Ehdaie aplica ya en su diálogo con los pacientes para evitar que la conversación se malogre.[5] Y más concretamente, me centro en cómo se reformulan las opciones para vencer la resistencia al cambio. Cuando se funden, estos principios son como una «receta» para afrontar la resistencia a las ideas, no solo en este escenario, sino en todo tipo de negociaciones.

LA LÓGICA DE LA IDONEIDAD

¿Cómo toman sus decisiones las personas? ¿Cómo deciden si decir «Sí» o «No», si escoger «A» o «B» o si actuar o no hacer nada? A todos nos resulta familiar una manera de escoger de la gente: el análisis de la relación coste-beneficio. La idea fundamental es que las personas sopesan los costes y los beneficios de todas las opciones

---

5. Se puede solicitar una descripción más exhaustiva de la intervención al autor, Deepak Malhotra.

y escogen la que parece ser mejor en general, quizá con algún reajuste basado en las preferencias de riesgo. ¿Pero es así realmente como se comportan las personas en todo momento o incluso la mayoría de la veces? Los sociólogos James March y Johan Olsen tienen un modelo alternativo para la toma de decisiones, al que denominan la *lógica de la idoneidad*.[6] Estos científicos sugieren que, en lugar de emprender un análisis de rentabilidad potencialmente complejo y laborioso, la gente suele tomar decisiones haciéndose una sencilla pregunta: «¿Qué hace una persona como yo en una situación como esta?»[7] Cualquiera que sea la respuesta que acuda a la cabeza cuando se plantea esta pregunta, tiene una influencia considerable en la manera en que las personas deciden comportarse.

Tomarse en serio la *lógica de la idoneidad*, significa que debemos estar atentos a si la gente considerará «adecuada» nuestra oferta u opción preferida y también a cómo podríamos impulsar la idoneidad de las propuestas que hacemos. Un gran número de obras de psicología (y más recientemente, de economía conductista) estudia el tema de la persuasión y de cómo se pueden elaborar las alternativas para hacerlas más atractivas. En mi trabajo con el doctor Ehdaie, introdujimos tres de estas ideas para impulsar la idoneidad de la VA. En este caso he añadido una cuarta que no está directamente relacionada con la negociación con los pacientes, pero que es muy importante en muchos contextos de la negociación. Estos principios, basados en mi experiencia, se cuentan entre

---

6. March, James y Johan Olsen, «The Logic o Appropriateness», en *The Oxford Handbook of Public Policy*, Robert E. Goodin, Martin Rein y Michael J. Moran, eds., Oxford University Press, Oxford, 2006.

7. March y Olsen mencionaron otras dos preguntas (preliminares) que la gente tiene en cuenta implícitamente: *¿Qué clase de persona soy?, ¿Qué clase de situación es esta?* En este sentido, una persona escogerá una cosa u otra basándose en qué función o identidad personal es relevante para él o para ella en ese momento (p. ej., padre, empleado o ciudadano), y también en cómo está formulada la situación en sí (p. ej., ¿es esta una decisión ética o económica?).

los medios más eficaces y de general aplicación para mejorar la idoneidad —y por ende el atractivo— de una idea o propuesta.[8]

> *La lógica de la idoneidad nos indica que muchas de las decisiones que toma la gente se basan en su forma de responder a una sencilla pregunta: ¿Qué hace una persona como yo en una situación como esta?*

1: LA VENTAJA DE LA PRUEBA SOCIAL

El principio de la «prueba social», tal como es expresado por el psicólogo social Robert Cialdini, dice que cuando la gente no está segura sobre qué camino tomar, o qué decidir, se fija en el comportamiento de los demás, ya sea real o supuesto.[9] De acuerdo con la lógica de la idoneidad, si creemos que la mayoría de los demás están haciendo algo realmente, es que debe ser apropiado. Esto se debe a que cuando las personas observan el mundo, piensan que *el mundo debe de tener sentido*. Y por consiguiente, cuando ven a las demás personas decidirse por una forma de actuar determinada, se dicen: «Debe de haber una razón» y lo interpretan como una señal de que es un comportamiento correcto o normal o aceptable. No es de sorprender, pues, que la manera más directa de impulsar la idoneidad de una opción sea demostrar o señalar que los demás también la están escogiendo. El doctor Ehdaie describe cómo, antes de

---

8. Las investigaciones sobre estos temas se han realizado a lo largo de lustros por muchos estudiosos. Para una referencia y saber más sobre estos y otros temas relacionados, véase, Malhotra, Deepak y Max Bazarman, «Psychological Influence in Negotiation: An Introduction Long Overdue», *Journal of Management*, 34, 3, (2008), 509-531.

9. Robert Cialdini proporciona un análisis más exhaustivo al respecto en su libro *Influir en los demás*, Ediciones B, Barcelona, 1993.

revisar su método, en realidad el principio de la prueba social estaba actuando en su contra. Sus intentos iniciales de resaltar lo que hacía único al MSKCC estaban apartando a los pacientes de la idea de la vigilancia activa. Así que cambió su discurso para tener en cuenta la influencia de la prueba social:

Antes, les decía a los pacientes algo como que «la mayoría de los hombres de Estados Unidos no escogen la vigilancia activa porque les preocupa que el cáncer se extienda o los médicos se sientan incómodos al no recomendar la cirugía o la radioterapia. Sin embargo, en el MSKCC, apostamos por mantener su calidad de vida *y* tratar su cáncer; por consiguiente, solo recomendamos la cirugía o la radioterapia a aquellos hombres a los que sabemos que les beneficiará.» Por desgracia, lo único que escuchaban era que «la mayoría de los hombres no escogen la vigilancia activa», y dejaban de prestar atención a partir de ahí. Dado el éxito que he tenido con mi nuevo planteamiento, ahora soy capaz de exponer una argumentación muy atractiva. Hago hincapié en que la inmensa mayoría de los hombres como ellos se deciden por la vigilancia activa en mi clínica y que hago el seguimiento a más de 300 hombres cada año.[10]

Aprovechar la prueba social impulsa la idoneidad de las propuestas.

La promesa y el peligro de la exclusividad

Este mismo principio es igual de preponderante en las negociaciones de empresa. Por ejemplo, la mayoría de las personas saben

---

10. Behfar Ehdaie, comunicación personal con el autor, 2014.

que «ser innovador» puede ser causa de atracción y ventaja. Pero como pone de relieve el ejemplo de los pacientes, en nuestro apresuramiento por pintar nuestra solución como exclusiva, innovadora y mejor que la de la competencia, a veces nos pegamos un tiro en el pie sin darnos cuenta. Un vendedor, por ejemplo, que trate de convencer al cliente de que tendrá la ventaja de contarse entre los primeros en adoptar una nueva tecnología o solución, puede descubrir que la fuerza de su discurso resulta erosionada (o aniquilada por completo) por el hecho de que la otra parte esté oyendo tácitamente: «Las demás personas como yo no hacen esto», y pensando: «¿Qué saben ellas que yo ignoro?» o «No debe de haber ninguna prisa en hacer esto». Un vendedor en esta situación quizá tenga que compensar su argumentación de la «exclusividad» con otra información que pueda apaciguar tales preocupaciones.

Definir una opción como exclusiva podría hacerla más intrigante pero menos atractiva.

2: FIJACIÓN DE LA OPCIÓN PREDETERMINADA

Las opciones predeterminadas son otros indicadores de la idoneidad. Cuando en un escenario dado algo es la elección presunta o predeterminada, eso lleva a las personas a inferir: «Debe de ser la predeterminada por algún motivo», esto es, debe de ser lo que hace la gran mayoría, o lo normal, o lo aceptable. Las investigaciones han demostrado que las personas están muy influenciadas por las opciones predeterminadas. Aunque sean absolutamente libres de decidir lo que quieren, parece que alejarse de lo predeterminado (esto es, del statu quo) es psicológicamente costoso. Si la gente está escogiendo entre diferentes estrategias o diferentes ofertas de productos, se puede impulsar la idoneidad de una opción convirtiéndola en predeterminada. Para ser exactos, el principio no dice que la opción predeterminada sea siempre la opción *más* atractiva, pero sí que el atractivo de una opción se ve *reforzado* cuando se convierte en predeterminada. Con el cáncer de próstata, por ejemplo, cuando el paciente entra en la consulta, la cirugía suele ser la opción predeterminada que tiene en mente. Si se puede cambiar la predeterminación a la VA nada más empezar la conversación, esta será mucho más fácil; permitir que la cirugía persista como la predeterminada, para luego tratar de reunir razonamientos para apartarse de ella, puede ser un arduo combate. Así es cómo el doctor Ehdaie describe su implantación de este principio:

> Cuando llega el momento de hablar de las opciones, ahora presento la vigilancia activa como la elección por defecto y me centro primero en ella. En concreto, tranquilizo a los pacientes que tienen un cáncer de próstata de riesgo bajo comparándolos con los que tienen un riesgo alto de la enfermedad y digo: «En los hombres como usted con un cáncer de próstata de riesgo bajo, recomendamos la vigilancia activa, y en cuanto a los demás hombres con cáncer de próstata de riesgo alto, recomendamos la cirugía y la radioterapia. Hoy quiero centrarme en la vigilancia activa, pero también puedo responder a las preguntas que tenga sobre la cirugía o la radiación».[11]

**Presentar nuestra propuesta como opción
predeterminada aumenta su idoneidad.**

---

11. *Ibídem.*

Comenzar con el propio borrador del acuerdo o procedimiento

Cuando se negocia un contrato, ¿quién establece el modelo predeterminado? ¿Dónde radica este? Por lo general, está en manos de la parte que proponga la versión inicial del contrato o del *texto estándar* de cualquiera de las dos partes que se esté utilizando. Existe una ventaja evidente en ser la parte que presente el borrador inicial o cuyo contrato estándar sea utilizado como modelo para el contrato. De acuerdo con mi experiencia, muchos de los puntos que aparecen en los textos estándar —incluidas algunas estipulaciones importantes que tienen una influencia sustancial en el valor del acuerdo— suelen quedar sin discutir o, dado que están incluidos en el contrato estándar, no son discutidos tan agresivamente como lo serían si hubieran sido propuestos verbalmente por la otra parte. Se da una tendencia natural a pensar: «Si está en su contrato estándar, debe de ser por alguna razón. Quizá sea lo normal. Seguramente es algo que la mayoría de las personas está dispuesta a aceptar».

En relación con lo anterior, entre las tácticas más extensamente estudiadas en la literatura académica sobre la negociación destaca la que se conoce como «anclaje», que habitualmente hace referencia a la idea de que la primera oferta de una u otra parte influirá poderosamente en la negociación y configurará la impresión de la otra parte sobre lo que es posible y aceptable en el acuerdo. De este modo, los resultados definitivos de una negociación (por ejemplo, el precio de un activo) suelen estar relacionados con las primeras ofertas.[12]

---

12. La literatura psicológica se refiere más exactamente a este fenómeno como «anclaje y ajuste insuficiente». La idea es que la gente es consciente de que el punto de arranque de un análisis (esto es, el *ancla*) —que puede ser una valoración inicial, una primera oferta de la otra parte, etc.— quizá no sea la respuesta adecuada, sino simplemente un punto de partida; aun así, el punto de arranque es ponderado en exceso, y los esfuerzos para hacer las modificaciones adecuadas fuera de él suelen ser insuficientes.

Las propuestas o expectativas predeterminadas también están relacionadas con la forma en que debe ser estructurado un *procedimiento* de negociación, como por ejemplo, los calendarios para la conclusión del acuerdo, quién intervendrá en la negociación, qué parte realizará la oferta inicial, qué se incluirá en el orden del día, etcétera. En la mayoría de los casos, existen expectativas o criterios preexistentes para tales decisiones basadas en los antecedentes. Corresponde a los negociadores evaluar los aspectos predeterminados existentes e intentar cambiarlos si fuera necesario. Como con los demás factores que influyen en la formulación, cuanto más tiempo se mantenga la predeterminación, más difícil será cambiarla. Si se puede cambiar antes de que la otra parte entre en la sala, tanto mejor; si no, hay que actuar rápidamente para cambiar las percepciones en relación a la predeterminación nada más comenzar las negociaciones. Por esta razón, ahora el doctor Ehdaie intenta pasar de la predeterminación de la «cirugía» a la «vigilancia activa» lo antes posible en la conversación.

La parte que redacta la versión inicial del acuerdo o procedimiento obtiene una ventaja mayor.

3: EL CAMBIO DEL PUNTO DE REFERENCIA

¿Diez mil dólares es mucho dinero? Puede ser una pregunta difícil de responder de forma categórica porque depende de con qué se esté comparando o para qué se esté considerando. Si se está pensando en comprar un reloj, es mucho dinero y la cantidad será importante; si vas a comprar una casa o estás hablando de la deuda nacional, entonces no es especialmente digna de atención. La cuestión es que la gente no evalúa ni reacciona a los datos y las opciones en el vacío. Alguien que está valorando una oferta, la conveniencia de un calendario o el grado de éxito logrado en virtud de unos parámetros de actuación siempre tiene algún punto de referencia en mente. Si es el punto de referencia «equivocado», incluso los mejores datos o el razonamiento más meritorio serán considerados deficientes. Así pues, antes de que presentemos nuestra información, es aconsejable establecer un punto de referencia adecuado. Como el doctor Ehdaie explica:

> Antes, cuando explicaba que la vigilancia activa conllevaba unos seguimientos semestrales, los pacientes y sus familias se alarmaban inmediatamente porque eso no les parecía un control «exhaustivo» y consideraban que el cáncer podía extenderse durante los seis meses entre visita y visita. La conversación derivaba hacia una postura muy defensiva, donde yo solía argumentar que era *posible* que se extendiera en seis meses, pero que tal cosa era sumamente improbable. Ahora, antes de que aborde el plan de seguimiento al final de la conversación, digo: «La prueba de detección del ASP nos ha permitido detectar el cáncer de próstata entre cuatro y seis años antes de que hubiera sido diagnosticado clínicamente. Además, en los hombres con cáncer de próstata que no fueron tratados nunca, los cambios o progresión en su enfermedad ocurrían normalmente al cabo de diez años; sin embargo, vamos a ser agresivos en cuanto al control al que le vamos a someter y pretendo volver a verle cada seis meses». Con anterioridad, a los pacientes seis meses se les antojaba una eternidad; con el marco de referencia adecuado, que procede de la historia natural de la progresión del cáncer de próstata, ahora un semestre es considerado poco tiempo entre seguimientos.[13]

---

13. Ehdaie, comunicación personal con el autor, 2014.

Tanto si estamos negociando un acuerdo empresarial o en un conflicto armado, como si estamos en la consulta del médico, el punto de referencia que tenga en mente el destinatario puede determinar que tu propuesta sea percibida como equilibrada o sesgada, generosa o injusta, tranquilizadora o angustiosa. Es importante que los negociadores se aseguren de que la otra parte está valorando la esencia de lo que se le ofrece dentro de un contexto adecuado. Siempre hay un contexto en el que la propuesta será evaluada; *siempre* existe un punto de referencia. Como con los aspectos predeterminados, vale la pena preguntarse si un punto de referencia preexistente es adecuado o útil o si es necesario fijarlo de nuevo.

Hay que establecer un punto de referencia adecuado.
Incluso las propuestas generosas pueden ser valoradas
negativamente si el punto de referencia de la otra
parte no está fijado adecuadamente.

4: NO HAY QUE DISCULPARSE POR LA OFERTA

No sirve de nada que un médico dé el mejor consejo posible y luego lo socave mostrándose compungido por haber propuesto algo que no le gusta al paciente. Sucede lo mismo en todo tipo de negociaciones. Por ejemplo, yo he trabajo con infinidad de empresas que tenían productos y servicios innovadores, y en muchos casos esto hacía que su precio decuplicara el de sus competidores. Forzosamente, cuando el vendedor menciona por primera vez un precio elevado, la reacción del cliente es una especie de mezcla de sorpresa, decepción y enfado. «Nadie paga tanto por una cosa así.» En este momento, el peor error que puede cometer un vendedor es que parezca que se disculpa por lo elevado del precio.

Sin embargo, esto es algo que suelen hacer los vendedores, quizá porque no están preparados para la resistencia y se ponen a la defensiva, o tal vez porque intentan parecer comprensivos. Hay muchas palabras y hechos que transmiten una disculpa: responder con: «Sé que es un precio elevado, pero…»; manifestar con excesiva premura la disposición a negociar el precio si fuera necesario; desviarse de la presentación inicial dando vueltas a la propuesta de valor; ponerse a discutir sobre lo que cobran los demás; o simplemente perder seguridad en el tono. Y en vez de eso, ¿qué debería hacer un vendedor?

En las ventas y en las negociaciones de todo tipo, si se ha elaborado cuidadosamente la propuesta y se considera adecuada, *no hay que disculparse por ella*. En cuanto parezca que nos disculpamos, estamos autorizando a la otra parte para que empiece a regatear. Esto no significa que no debamos estar dispuestos a negociar el precio, ni que no debamos *explicar* nuestro precio. Pero cuando nos disculpamos por nuestra oferta, estamos creando un contexto que dice que nuestra propuesta es inadecuada y que *ni siquiera nosotros* creemos que sea un punto de partida razonable. Si vamos a poner más cosas encima de la mesa que las ofertas irreconciliables, debemos desplazar el contexto hacia la discusión del valor. Por ejemplo, si el cliente se queja de lo elevado del precio, el vendedor podría decir: «Creo que lo que estás preguntando es que, ¿cómo, a pesar de tener este precio, hay tanta gente haciendo cola para comprar nuestro producto? ¿Qué clase de valor estamos entregando que nos permite quitarle tantas ventas a nuestros competidores? Me alegra que tengamos esta conversación. En resumidas cuentas, ambos sabemos que nadie pagará por algo más de lo que vale. Así que hablemos de la propuesta de valor…»

Justifiquemos siempre nuestra oferta, pero no nos disculpemos por ella.

Como una última consideración en relación a las herramientas para impulsar la idoneidad, vale la pena que reflexionemos sobre la ética de la formulación. Los objetivos del doctor Ehdaie eran a todas luces caritativos, pero en otros ámbitos debemos considerar cuándo es adecuada la formulación y cuándo podría ser poco escrupulosa. Siempre que estés ayudando a modelar la decisión que toma otra persona, es esencial evaluar no solo tus propias *intenciones* sino también *todas las consecuencias* que se derivarán. En los ejemplos vistos hasta el momento, hemos tratado de centrarnos en los negociadores que han utilizado las tácticas de formulación para ayudar a *todas* las partes a desbloquear la situación y lograr unos resultados generadores de valor.

Esto no significa que tales principios no puedan aplicarse de manera perversa, bien con mala intención o porque no se ha considerado cómo se verán afectados los demás. (Estudiaremos esta situación más adelante en esta misma sección.) La buena noticia es que no es fácil convencer a la gente de que se decida por una forma de proceder que le perjudique simplemente a través de la formulación. En la inmensa mayoría de los casos, como queda demostrado en los ejemplos que hemos analizado, cuando mejor funciona la formulación es cuando la parte que tienes como objetivo está dispuesta, y puede incluso que esperándolo, a moverse en la dirección en la que la estamos orientando... a poco que se lo pongamos fácil.

Por otro lado, no siempre se da el caso de que la otra parte esté dispuesta a tener en cuenta nuestras exigencias fundamentales siempre que podamos adaptarlas en estilo y estructura. En algunos casos, por desgracia, ambas partes han mantenido unas opiniones muy firmes o puesto graves obstáculos, y ninguna puede permitirse aceptar la postura de la otra. ¿Cómo podría ayudarlas el poder de la formulación? Estudiaremos esto en el siguiente capítulo.

4

LA AMBIGÜEDAD ESTRATÉGICA

Acuerdo entre los Estados Unidos y la India en materia de energía nuclear para usos civiles

En 1968 se cerró el acuerdo para la entrada en vigor del «Tratado de no proliferación de armas nucleares», más conocido como el *Tratado de No Proliferación* (TNP). El TNP tenía como objetivo restringir el número de países que tendrían acceso a las armas nucleares a los cinco que las tenían a la sazón: los Estados Unidos, el Reino Unido, la Unión Soviética, Francia y China. No por casualidad, los citados también eran los cinco miembros permanentes del Consejo de Seguridad de las Naciones Unidas. La idea a largo plazo del TNP era que los firmantes se comprometieran (a) a no abordar actividades relacionadas con la proliferación, (b) al desarme definitivo de aquellos que en el momento tuvieran armas nucleares, (c) a apoyar el uso pacífico de la tecnología nuclear por todos los firmantes, y (d) a someterse a las inspecciones y garantías impuestas por la Agencia Internacional de la Energía Atómica (AIEA) en aras de garantizar la seguridad y el cumplimiento.

Al inicio del nuevo siglo, 190 países habían firmado el tratado, siendo los únicos renuentes en el momento Corea del Norte, Israel, Pakistán e India.[1] Los que se negaron a firmar

---

1. Corea del Norte firmó en 1995, pero se retiró en 2003.

alegaban, como muchos de los firmantes, que dado el insuficiente compromiso para el desarme de los *poseedores de armas nucleares*, el tratado no era más que una manera de suprimir la soberanía y los derechos estratégicos de los *no poseedores de armas nucleares*. En los años transcurridos desde la entrada en vigor del TNP, cada uno de esos cuatro no firmantes, y con diversos grados de éxito, desarrollaron sus propias armas nucleares.

En julio de 2005, los Estados Unidos y la India pusieron en marcha lo que acabaría convirtiéndose en un maratón de negociaciones interrelacionadas orientadas a consumar un «acuerdo sobre energía nuclear para usos civiles» entre los dos países.[2] La premisa era relativamente sencilla: India aceptaría separar sus instalaciones nucleares militares y civiles y situar a estas últimas bajo las garantías de la AIEA, a cambio de una plena cooperación (por ejemplo, comercial) nuclear civil (es decir, no militar) por parte de los Estados Unidos y el Grupo de Proveedores Nucleares (GPN), a la sazón integrado por 45 países. Sin embargo, la condición de la India como no firmante del TNP dificultaba las negociaciones, que algunos habrían señalado como inconcebibles. En opinión de muchos, permitir que la India participara del comercio nuclear civil socavaría el compromiso norteamericano con el TNP. Si los no firmantes eran tratados igual de bien que los firmantes, ¿qué aliciente habría en que alguien firmara? Por el contrario, la administración Bush y otros integrantes del GPN creían que a pesar de ser un no firmante del tratado, y a pesar de haber desarrollado sus propias armas, la India no se había dedicado a actividades relacionadas con la

---

2. Para más información sobre estas negociaciones véase, Burns, Nicholas, «America's Strategic Opportunity with India: The New U. S.-India Partnership», *Foreign Affairs*, (noviembre/diciembre, 2007). Y véase Bajoria, Jayshree y Esther Pan, «The U. S.-India Nuclear Deal», *Council on Foreign Relations*, (5 de noviembre de 2010).

proliferación. Permitir que participara en el comercio nuclear civil a cambio de cierto grado de control y garantías de la AIEA solo favorecería un comportamiento responsable continuado y una seguridad mayor.

Alcanzar semejante acuerdo estaba destinado a ser difícil. Las negociaciones tendrían que estar coordinadas y estructurarse a muchos niveles por todo el mundo. Primero, los Estados Unidos tendrían que aprobar las leyes nacionales que permitieran colaborar con un no firmante del TNP (lo que se consiguió con la *Hyde Act* en 2006). Luego, los Estados Unidos y la India tendrían que negociar un acuerdo bilateral (denominado *Acuerdo 123*). En el ínterin, la AIEA tendría que aprobar un acuerdo con la India para colocar las instalaciones nucleares de uso civil indias bajo las garantías de dicho organismo internacional, y el GPN tendría que otorgar a la India una dispensa sin precedentes que le permitiera tener acceso a la tecnología y combustible nucleares. Por último, el acuerdo entre los diplomáticos de los Estados Unidos y la India tendría que ser aprobado por el Congreso norteamericano y respaldado por el Parlamento indio.

Uno de los problemas más enojosos que surgió durante las negociaciones se refirió a las consecuencias que se derivarían si la India probaba otra arma nuclear. En 1998, y con la condena internacional generalizada, la India había llevado a cabo cinco pruebas nucleares, dando lugar no solo a las sanciones de Estados Unidos y otros países, sino también, y como represalia, a las pruebas nucleares llevadas a cabo por Pakistán (por primera vez), tan solo dos semanas después. Un año más tarde, en 1999, y a causa de las incursiones militares pakistaníes más allá de la «Línea de Control» que separa a la India y Pakistán en Cachemira, ambos países libraron la primera y única guerra convencional de la historia entre dos potencias nucleares conocidas. Con este aterrador escenario en marcha, no es de extrañar que el apoyo al acuerdo nuclear civil entre los legisladores estadounidenses y muchos países del GPN quedara supeditado a las garantías de que la India no probaría ninguna otra arma nuclear.[3] Por otro lado, el apoyo en la India estaba condicionado exactamente a lo *contrario*. No parecía haber ninguna posibilidad de que el Parlamento indio aprobara un acuerdo si este limitaba su supuesto derecho soberano a probar armas nucleares siempre y cuando lo considerasen necesario. De hecho, para empezar esta era la auténtica razón de que la India no hubiera firmado el TNP: un acuerdo sobre la energía nuclear para usos civiles que impusiera unas restricciones del jaez de las del Tratado de No Proliferación era absolutamente inaceptable. La India había anunciado una moratoria voluntaria en los ensayos nucleares, pero no estaba dispuesta a convertir la moratoria en obligatoria.

¿Y cómo se negocia un acuerdo cuando exactamente la misma cuestión es motivo de ruptura para ambas partes? ¿Cómo se pueden reconciliar los intereses de ambas partes cuando los requerimientos mínimos de una (basados en la lógica de la *seguridad internacional*) son completamente inaceptables para la otra (según la lógica de la *soberanía nacional*)?

SIN RECURRIR AL DINERO NI A LA FUERZA

En 2007, los Estados Unidos y la India negociaron su acuerdo bilateral; en 2008, el gobierno del primer ministro Singh sobrevivió a un voto de censura en el Parlamento indio, la AIEA aprobó el acuerdo de garantía y los 45 países del GPN concedieron su

---

3. En realidad, tanto la *Hyde Act* de 2006 que había autorizado las negociaciones con la India, como también la *Atomic Energy Act* (1946 y 1954), básicamente desautorizarían la cooperación nuclear permanente con la India si esta hacía detonar un artefacto nuclear.

dispensa. A lo largo de ese mismo año, el Congreso norteamericano aprobó el acuerdo, y ambos países lo firmaron oficialmente el 10 de octubre de 2008. ¿Cómo ocurrió esto? ¿Qué parte subordinó sus exigencias y aceptó la lógica de la otra? ¿Quién hizo la valerosa concesión? Pues resultó que no lo hizo *nadie*.

¿Y el Acuerdo 123 firmado por los Estados Unidos y la India *restringía* los ensayos nucleares? ¿Estipulaba la interrupción del comercio nuclear si la India hacía detonar un artefacto nuclear? Nadie podría decirlo con seguridad.

El 1 de octubre de 2008, la secretaria de Estado norteamericana Condoleezza Rice testificó ante el Senado declarando lo siguiente: «Permítanme que les garantice que un ensayo por parte de la India, como ya he declarado públicamente, daría lugar a las consecuencias más graves. Si la India hiciera los ensayos, la legislación vigente de Estados Unidos exigiría la interrupción automática de la cooperación, además de un sinfín de otras sanciones».[4]

El 3 de octubre de 2008, el ministro de Asuntos Exteriores indio Pranab Mukherjee, al ser preguntado si la India había sacrificado el derecho a realizar ensayos nucleares, aclaró que «no queríamos convertir esta moratoria voluntaria en una obligación vinculante derivada del Tratado. Hemos mantenido esta postura».[5]

¿Qué está pasando? ¿Qué dice realmente el acuerdo? Si alguien debería saberlo, serían la secretaria Rice y el ministro Mukherjee,

---

4. Condoleezza Rice, Actas del Congreso del Senado de los Estados Unidos, 1 de octubre de 2008.

5. «India Will Abide by Unilateral Moratorium on N-tests: Pranab», *The Times of India*, 3 de octubre de 2008, http://timesofindia.indiatimes.com/india/India-will-abide-by-unilateral-moratorium-on-N-tests-Pranab/articleshow/3556712.cms. Consultado el 25 de junio de 2015.

las dos personas que firmaron el acuerdo definitivo el 10 de octubre de 2008. Lo cierto es que el Acuerdo 123, y el entramado de pactos en el que está estructurado el tratado Estados Unidos-India, es deliberadamente impreciso. Aunque la ausencia de precisión es intencionada: ese es el arte de la *ambigüedad estratégica*.

LA AMBIGÜEDAD ESTRATÉGICA

La ambigüedad estratégica es una arriesgada táctica que puede dar sus frutos cuando se utiliza en el momento y de la manera adecuadas. Y es arriesgada porque da pie a un acuerdo que se puede interpretar de manera diferente por las diferentes partes; volveremos sobre este problema en breve. El motivo es que, a veces, el problema no es que las dos partes no puedan tolerar las exigencias mutuas, sino que escribir o anunciar *explícitamente* que se está dispuesto a tolerarlas es demasiado problemático.

En el caso que nos ocupa, los negociadores de los Estados Unidos y de la India entendían que cualquier acuerdo, con independencia de los términos que se utilizaran para redactarlo, implicaría que ambas partes sabían que si la Indica realizaba un ensayo con otra arma —para lo que, por supuesto, estaba técnicamente *capacitada*—, los Estados Unidos se verían obligados a poner fin al acuerdo a causa de la presión tanto interna como internacional. Realmente daba igual lo que se hiciera constar o no en el acuerdo firmado. La realidad práctica era que no había manera de impedir a la India probar un arma nuclear si quería hacerlo, y no había manera de impedir que los Estados Unidos abandonara el acuerdo si la India procedía al ensayo. Para empezar, saber que esta sería la reacción norteamericana era el mejor incentivo para que la India no realizará ninguna prueba nuclear. En otras palabras, los incentivos estaban equilibrados y todos los presentes en la sala estaban de acuerdo en todo; no había ningún malentendido. Sin embargo, plasmar el acuerdo por escrito sería un problema. Los negociadores trabajaron durante semanas en la elaboración de un borrador cuya redacción resultara aceptable para ambas partes, habida cuenta de las limitaciones de cada una. Cualquier expresión parecida a «si la India ensaya un arma nuclear...» era inviable en la India; la ausencia de una terminología semejante era inaceptable en Estados Unidos. La solución final consistió en un planteamiento que está reñido con los impulsos de la mayoría de los juristas: el acuerdo tenía que ser suficientemente *impreciso*, de manera que permitiera que cada parte lo interpretara y lo presentara a sus mandantes de la manera más favorable.

Cuando ninguna parte está dispuesta a subordinar abiertamente sus exigencias sobre las cuestiones o principios fundamentales, la ambigüedad estratégica —la terminología que está deliberadamente abierta a múltiples interpretaciones— puede ayudar a que las partes alcancen un acuerdo.

LA AMBIGÜEDAD ES PELIGROSA SI NO HAY INCENTIVOS PARA OBSERVAR UNA CONDUCTA ADECUADA

Para valorar la influencia de la ambigüedad estratégica en el juego de herramientas del negociador —y ayudar a utilizar algunos límites claros cuando sea aconsejable— primero tenemos que distinguir las diferentes clases de relaciones estratégicas. Por un lado, están aquellas en las que una o ambas partes tienen el incentivo y la capacidad para sacar provecho de la otra —y así lo hará—, *a menos que un contrato o un tratado lo haga imposible o sumamente oneroso.* En tales casos, es aconsejable tener un acuerdo que defina claramente los derechos y responsabilidades de cada una de las partes y aclare qué conductas están proscritas. En estas ocasiones debería evitarse la ambigüedad estratégica. Por el contrario, tenemos las relaciones en las que los mutuos intereses están lo bastante alineados como para que la relación sea autosuficiente *con independencia de lo que se plasme por escrito*. En este caso, disponemos de la flexibilidad de poder seguir con un contrato inconcluso o ambiguo si hacerlo así nos ayuda a resolver otros problemas (por ejemplo, la óptica). En otras palabras, la ambigüedad estratégica debería estar limitada a las situaciones en las que se dispone de otros mecanismos que garanticen la conducta adecuada de cada una de las partes. El ministro de Asuntos Exteriores indio Pranab Mukherjee dejó bastante claro que las negociaciones nucleares se ajustaban a este criterio —esto es, que el acuerdo conllevaba intrínsecamente su cumplimiento en virtud de los derechos e intereses de ambas partes— cuando, días antes de firmarse el acuerdo, afirmó: «Tenemos derecho a los ensayos; otros tienen derecho a reaccionar».[6] Esta no es la clase de lenguaje que podría incluirse en el acuerdo, aunque quizá fuera apropiado para la audiencia interna. En términos más generales, cuando la sombra de la audiencia se cierne ominosamente, a veces la gente está dispuesta a aceptar que se le imponga ciertas limitaciones *de facto* en una relación estratégica, aunque será reacia a reconocerlas o justificarlas por escrito.

La ambigüedad estratégica solo debería utilizarse cuando se cuenta con otros mecanismos para garantizar el cumplimiento con una conducta adecuada.

---

6. *Ibídem.*

LA IMPORTANCIA DE LA AMBIGÜEDAD ESTRATÉGICA
AL COMIENZO DE LAS RELACIONES

Paradójicamente, la ambigüedad estratégica también puede ser valiosa cuando en los inicios hay demasiada poca confianza para que las partes alcancen un acuerdo exhaustivo. Por contra, las partes pueden llegar a un acuerdo inicial que sea incompleto o ambiguo, pero que les ayude a seguir involucrados hasta que se fomente la confianza. Por ejemplo, en la celebración de acuerdos interculturales, si una parte teme que atarse de manos con una relación prolongada es demasiado arriesgado, dada la ausencia de antecedentes previos del interlocutor, evitará firmar un acuerdo que entrañe demasiado compromiso. Pero mostrarse explícitamente evasivo en el compromiso también puede enturbiar las aguas. Por ejemplo, pensemos en una situación en la que la empresa X se está abasteciendo de un nuevo fabricante, la empresa Y, pero no está dispuesta a comprometerse en un contrato plurianual ni a asumir ningún otro compromiso para compensar la inversión que está realizando la empresa Y en el acuerdo. Esta puede tolerar la realidad de que si al final no entrega un gran producto, X buscará en otra parte. Sin embargo, un acuerdo que rehúye manifiestamente el compromiso, con multitud de estipulaciones que definen todas las maneras en las que X no se hace responsable de la suerte de Y, podría enviar un mensaje muy negativo u obligar a las partes a enfrentarse y acabar enzarzadas en la discusión de cuestiones que no son de fácil solución. Introducir cierto grado de ambigüedad en cuanto a la naturaleza de la relación y la solidez y duración del compromiso puede proporcionar a ambas partes la flexibilidad y libertad que necesitan para superar sus dudas iniciales y lograr una colaboración inicial con la tranquilidad de que no hay «ninguna atadura». Aun cuando ambas partes se beneficiarán de comportarse adecuadamente, algunos acuerdos siguen siendo fáciles de entender y de aceptar al principio, aunque sean difíciles de plasmar por escrito con precisión, sobre todo al comienzo de lo que podría ser una relación prolongada y cambiante.

La ambigüedad estratégica puede ayudar a las partes a iniciar una relación cuando no hay suficiente confianza para un compromiso pleno, pero es inaceptable mostrarse explícitamente evasivo en cuanto a la asunción de compromisos.

Merece la pena resaltar que en cada una de las situaciones que hemos analizado, la ambigüedad estratégica no tiene por objeto *sustituir* un entendimiento auténtico y duradero entre ambas partes. Si existen profundas disensiones sobre cuestiones importantes de fondo, la ambigüedad no solo no ayudará, sino que puede empeorar las cosas. Este el tema que ahora veremos con más detalle, mientras estudiamos el posible uso indebido de la formulación para resolver los conflictos.

5

LOS LÍMITES
DE LA FORMULACIÓN

Trazar el camino hacia
la guerra en Irak

En 2002, el gobierno de Estados Unidos, bajo la presidencia de George W. Bush, impulsó una resolución del Consejo de Seguridad de Naciones Unidas que declaraba al Estado iraquí, a la sazón bajo la férula de Saddam Hussein, incurso en una violación grave de las resoluciones previas concernientes, entre otras cuestiones, al programa de armas de destrucción masiva (ADM) del citado país. Todas las partes convinieron en que los inspectores de armamento de las Naciones Unidas fueran a Irak para determinar si su gobierno estaba cumpliendo en ese momento con las exigencias del máximo organismo internacional. Pero cuando llegó el momento de tomar las siguientes medidas, surgieron profundas discrepancias. Los Estados Unidos, junto con el Reino Unido y otros países, exigieron que se activara automáticamente una «autorización de fuerza» de las Naciones Unidas contra Irak, en el caso de que este no dejara satisfechos rápidamente a los inspectores. Francia, así como Alemania, Rusia y otros países (e incluso los propios inspectores) eran partidarios de conceder más tiempo para realizar las inspecciones y —esencialmente— rechazaban la activación automática del uso de la fuerza.[1] En vez de eso, exigían que las partes aceptaran reunirse de nuevo si la autorización del uso de la fuerza pareciera necesaria. Desde la perspectiva de la coalición liderada por Francia, una activación automática casi garantizaba la guerra aunque no existiera ningún programa de armas de destrucción masiva. El razonamiento era: ¿Cómo iba a demostrar Irak «de manera inmediata, incondicional y activa» la inexistencia de algo que otros creían que los iraquíes habían ocultado bien y sobre lo que posiblemente estaban mintiendo?

Así pues, el elemento central de la negociación era el desacuerdo sobre una cuestión sustancial (la activación) que necesitaba alguna clase de compromiso. Pero, sobre todo, lo que había era una controversia subyacente más profunda en relación a las condiciones en las que sería apropiado el uso de la fuerza.

UN CUENTO CON MORALEJA

En lugar de resolver esta controversia fundamental, las partes optaron por una solución estratégica ambigua: la Resolución 1441 del Consejo de Seguridad de las Naciones Unidas no contenía ninguna activación automática propiamente dicha, aunque su redacción permitiría más tarde a los Estados Unidos y sus socios de coalición interpretarla como autorización suficiente para utilizar la fuerza.[2] Por ejemplo, aunque dicha resolución dejaba claro que cualquier acción militar debería estar precedida de nuevas deliberaciones, al mismo tiempo declaraba que se estaba dando a

---

1. Farley, Maggie, «The Big Push for U. N. Council's Support», *Los Angeles Times*, 12 de octubre de 2002.

2. Véase aquí el texto íntegro de la Resolución 1441: http://www.un.org/depts/unmovic/documents/1441.pdf.

Irak una «última oportunidad para cumplir con sus obligaciones de desarme». A mayor abundamiento, y como el embajador estadounidense ante las Naciones Unidas, John Negroponte, puntualizó poco después de la aprobación de la Resolución 1441, la activación no era lo *único* que dicha resolución no contenía:

Aunque el Consejo de Seguridad no actúe con determinación en el caso de más violaciones por parte de Irak, esta resolución no impide a ningún Estado miembro que actúe para defenderse de la amenaza planteada por Irak o para hacer cumplir las resoluciones relevantes de las Naciones Unidas y proteger la paz y seguridad mundiales.[3]

Mientras que ambas coaliciones estuvieran en la misma sintonía respecto a sus valoraciones del cumplimiento de la resolución por parte de Irak, no habría problema: las dos partes podrían esperar a una segunda votación para autorizar la fuerza siempre que fuera necesario. Por desgracia, no pasó mucho tiempo antes de que las dos coaliciones disintieran acerca del grado de cumplimiento de Irak y si debía procederse, y con qué premura, a la votación para el uso de la fuerza. Dada la controversia subyacente irresoluta que latía en esta cuestión esencial, se puso de manifiesto que franceses y rusos no estaban a favor de recurrir rápidamente a la fuerza y que vetarían cualquier autorización en ese sentido. Por otra parte, para la Administración Bush, que seguía a favor de la utilización de la fuerza, un fracaso en la votación de la autorización sería peor que el que no hubiera ninguna votación.

Y, por tanto, resultó que, *sin* una segunda votación sobre la utilización de la fuerza, en contra de las denodadas objeciones

---

3. Véase aquí el texto completo de su discurso: http://www.un.org/webcast/usa110802.htm.

de la coalición liderada por Francia e incluso con la *omisión* en la resolución de cualquier activación para el uso de la fuerza, la coalición encabezada por los Estados Unidos marchó a la guerra contra Irak el 20 de marzo de 2003. Y *ambas* partes —la francesa y la norteamericana— alegaron estar actuando de acuerdo con la Resolución 1441. El fracaso de este planteamiento de negociación puede verse no solo desde el punto de vista del fracaso en la evitación de la guerra, sino porque condujo a una mayor división y desconfianza en el seno del Consejo de Seguridad de las Naciones Unidos y más allá. Aunque la guerra fuera inevitable (por ejemplo, si los Estados Unidos estuvieran empeñados en esta línea de actuación), la utilización de la ambigüedad estratégica para encubrir las profundas disensiones no sirvió de nada y en realidad no hizo más que empeorar las cosas.

LA AMBIGÜEDAD NO ES UN REMEDIO PARA UN CONFLICTO DE FONDO

En teoría, la ambigüedad debería emplearse únicamente si contribuye a que se alcance un acuerdo que *todas las partes entienden y aceptan sustancialmente*, pero cuya redacción explícita les plantea problemas debido a la carga que a veces impone una precisión excesiva. Por desgracia, aunque no haya un acuerdo implícito sobre el fondo, a veces las partes optan por la ambigüedad estratégica simplemente porque es una manera conveniente de desbloquear una situación, o bien porque les permite alcanzar «algún tipo de acuerdo» en lugar de ninguno. Esto es un problema, porque lo único que hace es posponer la controversia de fondo barriéndola debajo de la alfombra, mientras crea la falsa creencia de que se ha alcanzado un acuerdo que merece la pena. Pero cuando el conflicto vuelve a surgir, puede incluso que sea peor por culpa de las expectativas frustradas, la percepción de incumplimiento y la costosa acumulación de inversiones económicas, políticas y psicológicas que las partes hayan realizado desde entonces en el marco de su presunto acuerdo.

La ambigüedad no debería utilizarse para sustituir a un acuerdo auténtico sobre el fondo.

UN EQUILIBRO ENTRE LOS CONFLICTOS ACTUALES Y FUTUROS

La ambigüedad estratégica implica un equilibrio entre la minimización de los conflictos actuales y la de los conflictos futuros. Si lo que pretendemos es reducir las probabilidades de que surja una disputa en el futuro, la ambigüedad estratégica no es una buena idea. El acuerdo debería ser tan explícito y poco ambiguo como sea posible, a fin de evitar diferentes interpretaciones del acuerdo mientras seguimos adelante. Ahora bien, si lo que más nos preocupa es la manera de resolver el estancamiento del momento para que este no obstruya las negociaciones al principio de la relación, entonces una solución es echar mano de la ambigüedad estratégica. Desde este punto de vista, la ambigüedad estratégica implica hacer una apuesta: asumimos un mayor riesgo de tener problemas en el futuro a cambio de facilitarnos las cosas en el presente. Como hemos visto, decidir si aceptamos la apuesta exige considerar detenidamente los costes y los beneficios, pero una buena norma es la de apartarse de la ambigüedad estratégica siempre que existan diferencias graves sobre las cuestiones de fondo que es improbable que desaparezcan (o que es probable que empeoren) con el transcurso del tiempo.

> *La ambigüedad implica un equilibrio entre la*
> *resolución de los conflictos presentes y la minimización*
> *de las controversias futuras.*

CUIDADO CON LA TENTACIÓN DE ESTRECHAR MANOS CUANDO NO HAY ACUERDO

Como la negociación de la Resolución 1441 puso de manifiesto, las partes suelen adoptar la ambigüedad estratégica sin tener debidamente en cuenta el impacto que esta puede tener sobre los conflictos futuros. Tal cosa puede deberse a una miopía estratégica —esto es, la falta de reflexión sobre las consecuencias venideras—, pero también puede ser consecuencia de los sistemas de incentivos. Si los negociadores son recompensados por alcanzar un acuerdo o castigados por no conseguirlo, encontrarán la manera de alcanzar un acuerdo, por imperfecto que sea. Tales incentivos pueden ser explícitos, como en el mundo de la empresa, o implícitos, como podría ser en la política. Cuando para la audiencia (por ejemplo, votantes, alta dirección, medios de comunicación) es más fácil juzgar *si* se ha alcanzado un acuerdo y mucho más difícil valorar sus consecuencia a largo plazo, es probable que los negociadores se decanten por estrategias que desactiven las controversias actuales, aunque al hacerlo aumenten las probabilidades o la magnitud de los conflictos en el futuro.

> *Si cerrar acuerdos se recompensa, los negociadores*
> *podrían ocultar los desacuerdos sobre el fondo para*
> *sacar adelante acuerdos imperfectos.*

LOS ACUERDOS AMBIGUOS PUEDEN SER PARASITARIOS

Para ser justos, hemos de reconocer que hay otra manera —más cínica— de valorar lo que sucedió entre los Estados Unidos y Francia en 2003. Pensemos en lo que habría sucedido si en lugar de una resolución (la 1441) estratégicamente ambigua, Estados Unidos y Francia hubieran acordado sin más no acordar nada. Con toda probabilidad, esto habría significado que Estados Unidos actuase sin ninguna autorización de las Naciones Unidas, es decir, que fuera a la guerra contra Irak con un puñado de coaligados, que es lo que de todas formas hizo al final. Así pues, ¿para qué molestarse en llegar a ningún acuerdo? La razón del acuerdo tal vez fuera que ambas partes preferían un acuerdo ambiguo *que sabían provocaría probablemente un conflicto futuro* al no llegar a ningún acuerdo: los Estados Unidos querían poder alegar una autorización de Naciones Unidas aunque los países que se sumaran al ataque fueran escasos, y Francia deseaba evitar que se estableciera el precedente de que el Consejo de Seguridad quedara completamente al margen cuando algún miembro de Naciones Unidas quisiera ir a la guerra.

La perspectiva cínica sugiere que, de hecho, la ambigüedad estratégica *sí* que sirvió a los intereses de ambas partes en este caso y que no había ningún grave desacuerdo sobre el fondo; esto es, franceses y estadounidenses sabían desde el principio que Estados Unidos actuaría sin un gran respaldo de Naciones Unidos, pero ambos querían alimentar la ilusión de que las Naciones Unidas no habían sido dejadas a un lado. Esto proporcionaría a los norteamericanos cierto grado de legitimidad para sus actos, y a Francia cierto grado de legitimidad para las Naciones Unidas.

Si esta opinión fuera acertada, entonces en este caso el fracaso no estriba en el uso inapropiado de la ambigüedad estratégica desde el punto de vista de las partes que estaban presentes en la negociación, cada una de las cuales tuvo éxito en lograr sus objetivos. El fallo está en el sistema, lo que sugiere que a veces, cuando las partes que se sientan a la mesa de negociaciones encuentran la manera de que cada una pueda cantar victoria, *no* lo hacen en aras del bien común, sino para lograr sus propios mezquinos objetivos, puede que con un coste considerable para otras partes interesadas. Tal conducta —esto es, la acción pensada para beneficiar a todos los presentes en la sala a expensas de las partes ausentes— la denominamos *creación del valor parasitario.*[4] En otras palabras, el valor obtenido por aquellos que se sientan a la mesa de negociaciones es «parasitario», por cuanto no es el resultado de sinergias o beneficio mutuo originados a través de la cooperación y el intercambio, sino que sale de los bolsillos de otros.

Por desgracia, la ambigüedad estratégica como herramienta para «hacer felices a todos» puede ser eficaz en manos de personas que realmente no estén creando valor en función de los intereses generales, sino que se beneficiarán personalmente de llegar a un acuerdo. La enseñanza, por consiguiente, es especialmente importante para las partes interesadas que quizá terminen apechugando con las futuras consecuencias negativas; cuidado con la ambigüedad o los acuerdos incompletos que nos vendan. Si las controversias de fondo persisten, o los costes van a tener que ser asumidos por terceras partes interesadas —lo cual puede ser difícil de descubrir si no participamos en las deliberaciones—, quizá debamos exigir mayor claridad o precisión en la redacción del acuerdo, o una explicación más convincente de por qué debería alcanzarse.

---

4. El término «parasitario» fue introducido en este contexto por primera vez por Gillespie, James y Max Bazerman en su artículo: «Parasitic integration: Win-win agreements containing losers», *Negotiation Journal*, 13, 3, (1997), 271-282. Véase también, Malhotra, Deepak y Max Bazerman, *El negociador genial*, Empresa Activa, Barcelona, 2013.

Los acuerdos ambiguos o incompletos podrían ser parasitarios, esto es, que solo satisficieran los intereses de los que se sientan a la mesa de negociación a expensas de otras partes interesadas.

Tras reflexionar sobre los posibles problemas de la utilización de la ambigüedad estratégica y, en términos más generales, sobre las consideraciones que deberían acompañar a cualquier utilización de la formulación para resolver las controversias, es importante señalar que en la mayoría de los casos, la utilización de la formulación contribuye a superar los estancamientos *sin* imponer la clase de consecuencias negativas vistas en este capítulo. También merece la pena recordar que las fórmulas de negociación *siempre* existirán, con independencia de que alguien haya tratado de influir en ellas. Irremediablemente, existen algunas lentes predeterminadas a través de las cuales son valoradas las propuestas y las opciones. La cuestión es si un negociador podría, y cómo, reformular una situación para conseguir unos resultados mejores o más justos para *todas* las partes: para los que se sientan a la mesa como para los demás que están afectados por la negociación.

Hemos hablado largo y tendido sobre cómo se puede formular una propuesta o un resultado. Pongamos fin a esta sección tomando distancia y examinando el marco de la propia relación. La manera en que se perciban mutuamente las partes puede tener efectos amplios, contundentes y duraderos en la negociación. Si somos conscientes de esto, actuaremos cuanto antes para crear la fórmula adecuada para la futura relación.

6

LA VENTAJA DE SER
EL PRIMERO EN ACTUAR

El tratado de paz inquebrantable

¿Sabes cuál es el nombre de este país? El tratado más antiguo de la historia de Estados Unidos es con este país. El primer edificio en suelo extranjero adquirido por los Estados Unidos está situado allí, y es el único lugar fuera de los Estados Unidos en haber sido declarado Monumento Histórico Nacional.[1] El país en cuestión ha sido un destacado seguidor de los Estados Unidos en su «guerra» contra el terrorismo, pero la cooperación militar entre ambos no es un hecho reciente: los soldados de este país lucharon al lado de las fuerzas norteamericanas en la Primera Guerra Mundial y estuvieron decididamente del lado de los Estados Unidos en su lucha contra los estados Confederados durante la Guerra Civil Norteamericana. De igual manera, los Estados Unidos llevan mucho tiempo defendiendo las aspiraciones de este país de no permitir las injerencias de las potencias extranjeras. Asimismo, es uno de los veinte países del mundo con los que los Estados Unidos de América mantiene un Acuerdo de Libre Mercado. ¿De qué país se trata?

---

1. Hay más de 2.500 Edificios Históricos Nacionales. Aparte de los situados en los estados, territorios y mancomunidades norteamericanas, los pocos que restan están en países insulares que tienen la condición de «libre asociado» con los Estados Unidos.

Algunas pistas más: Está en África. Aproximadamente el 99 por ciento de su población es árabe o berebere, y el 99 por ciento profesa la fe islámica. Es uno de los dos únicos países del continente que ha sido nombrado «gran aliado no perteneciente a la OTAN» de los Estados Unidos, lo que le permite disfrutar de una cooperación militar y económica especial. ¿Algún intento más?

Última pista: Una de las más famosas películas norteamericanas —con el que quizá sea uno de los guiones más aclamados de la historia— está ambientaba en la mayor ciudad de este país. ¿Quién es este amigo especial de Estados Unidos?

Los historiadores y cinéfilos que han visto *Casablanca* puede que hayan tenido ventaja para identificar el país africano como el Reino de Marruecos. Sin embargo, la verdadera pregunta es: ¿cómo se explica esta dilatada relación?

SIN RECURRIR AL DINERO NI A LA FUERZA

En 1786, Thomas Jefferson y John Adams firmaron el «Tratado de Amistad marroquí-estadounidense» que se había negociado entre el representante estadounidense, Thomas Barclay y Mohammed III, sultán de Marruecos.[2] El tratado, redactado en árabe y luego traducido al inglés, contenía veinticinco artículos, la mayoría relativos a cuestiones navales y comerciales. El último establecía la duración de las obligaciones del tratado: «Este Tratado, con la ayuda de Dios, seguirá teniendo pleno vigor durante cincuenta años». Casi doscientos treinta años más tarde, sigue vigente. El preámbulo del tratado había sido mucho más optimista —y en última instancia más preciso— al afirmar que el acuerdo se firmaba (según el calendario islámico) «el vigésimo quinto

---

2. El tratado fue ratificado al año siguiente, en 1787, por el Congreso.

día del sagrado Mes del Shaban del año 1200, *confiando en que la voluntad de Dios lo haga eterno*».

Pero la firma del Tratado de Amistad simplemente formalizaba una relación que ya existía entre los dos países desde hacía un decenio. El primer peldaño hacia la amistad, y el más trascendental, se colocó en 1777, cuando Marruecos se convirtió en el *primer país soberano* en reconocer la independencia de los nacientes Estados Unidos de Norteamérica. En diciembre de ese mismo año, viendo el valor de fomentar las relaciones comerciales con Estados Unidos, el sultán proclamó que los puertos de su país estarían abiertos para ese país. Aunque EE. UU. tardó algunos años en responder a esta oferta —tenía algunos problemas más acuciantes durante su guerra contra Inglaterra—, aquello plantó la semilla que acabaría fructificando en una amistad y una relación comercial de siglos.

LA VENTAJA DE SER EL PRIMERO EN ACTUAR

Como hemos visto anteriormente, cuando se trata de la formulación, ser el *primero en actuar conlleva una importante ventaja.* Cuanto antes se afiance una fórmula, más probabilidades hay de que perduren y moldeen las negociaciones subsiguientes. Vimos esto cuando hablamos de las opciones predeterminadas: es conveniente empezar con tu modelo inicial para las negociaciones o con tu borrador del acuerdo. En el caso de la duradera relación entre Estados Unidos y Marruecos, la fórmula de amistad se estableció muy pronto, cuando no había ninguna anterior e imperante que la refutara. En el contexto empresarial, se suelen establecer varias fórmulas muy al principio del proceso de negociación. Estas incluyen, por ejemplo, quién es considerado como fuerte o débil, si tiene lógica ser transparente o ser cuidadoso y qué puntos de referencia o precedentes son adecuados cuando se evalúan las ofertas, los peritajes, etcétera. Los negociadores eficaces son conscientes de la influencia que tales fórmulas o marcos tendrán a medida que avance la negociación y buscan establecer la fórmula preferente lo antes posible.

A la hora de la formulación, ser el primero en actuar conlleva una importante ventaja. Siempre que sea posible, hay que intentar controlar la fórmula de la negociación desde el principio.

REFORMULAR LO ANTES POSIBLE

Dado que no siempre conseguimos establecer la fórmula inicial, puede que necesitemos actuar rápidamente para valorar y cambiarla en función de las necesidades. No hace mucho tiempo, un afamado cardiólogo que conozco estaba negociando una renovación de contrato con su hospital. Él sabía que el gerente del establecimiento comprendía el tremendo valor que aportaba al hospital y suponía que sería un proceso fácil. Para su sorpresa, el gerente del hospital empezó las negociaciones con una agresiva oferta inicial que le *rebajaría* el salario en un 20 por ciento. El gerente justificó la medida utilizando datos y una profusa documentación que demostraba que el hospital perdía dinero y que el médico, asimismo, registraba pérdidas. Para apoyar su argumentación, había incluido oportunamente toda suerte de costes fijos del hospital en los cálculos y había ignorado otras formas en las que el médico contribuía al balance final y otros objetivos del sistema hospitalario. Cada vez que se reunían para hablar de la situación, la conversación se estancaba en discusiones espinosas sobre lo que era justo y la legitimidad de las partidas concretas en los análisis de pérdidas y ganancias del gerente.

Al médico se le hizo patente que la única manera de desplazar la formulación dominante: «Estamos perdiendo dinero, así que es justo que deba pagársele menos» sería introduciendo un modelo completamente diferente como punto de partida de la discusión. Antes de la siguiente reunión, el médico le preguntó al gerente si, dado que la equidad era la preocupación, estaría abierto al análisis objetivo de una tercera parte sobre el valor justo de mercado de su contribución al hospital. Muchos hospitales utilizan análisis comparativos regionales para decidir los sueldos de los médicos, y hay empresas que proporcionan tales servicios. El gerente aceptó este planteamiento. Cuando llegaron los datos, estos revelaron que, como había esperado el médico, habida cuenta de los ingresos que él le generaba al hospital, en ese momento estaba mal pagado. Esto no solo desvió la conversación hacia el debido *aumento* de sueldo: también dio al gerente la justificación que necesitaría para aprobar el aumento salarial del facultativo.

Si la fórmula existente es desfavorable, procuremos reformularla lo antes posible.

LAS DIFERENCIAS SON MÁS FÁCILES DE PREVENIR QUE DE RESOLVER

Un factor que diferencia el ejemplo de Marruecos de los primeros casos que hemos examinado es que las iniciativas del sultán no iban dirigidas a resolver un estancamiento o controversia previa con los Estados Unidos; antes al contrario, el monarca estaba diseñando un camino que pudiera prevenir los futuros conflictos. De la misma manera que una formulación temprana es más efectiva que una tardía, también es mucho más fácil prevenir un estancamiento que resolverlo. Este principio es válido no solo en lo tocante a la gestión de las grandes iniciativas estratégicas, sino también para tratar con asuntos tácticos más localistas.

Aquí tenemos un divertido ejemplo que deja claro lo dicho. En la Tercera Conferencia de Naciones Unidas sobre la Ley del Mar (1973-1982), Tommy Koh, el representante permanente de Singapur ante las Naciones Unidas, presidió uno de los principales comités relacionados con el controvertido problema de la explotación minera de los fondos marinos. Con los delegados de más de 150 países sentados a la mesa, el embajador Koh tenía que encontrar alguna manera de reconciliar los dispares intereses y perspectivas de los presentes en la sala. Debatir todos los asuntos con un grupo tan numeroso habría sido imposible, así que Koh necesitaba una manera de reducir el grupo a una cantidad más manejable. Y tal cosa no sería fácil de hacer si todo el mundo pensaba que tenía derecho y motivos para estar allí. Tommy Koh reflexionaría sobre el asunto años más tarde:

> En el caso de la negociación de las condiciones económicas de los contratos de explotación minera, empezamos en una sala con 150 países, y era necesario celebrar reuniones con semejante número de países porque a uno le satisface la educación pública... sobre cuáles son los problemas, cuáles los parámetros y cuáles los diferentes escenarios, [y] explicarles todos los términos técnicos... Una vez que esto se logra, tienes que hacer la transición desde este enorme grupo plenario a un foro más reducido...[3]

---

3. El embajador Tommy Koh hizo tales observaciones en la Universidad de Harvard en el año 2014, donde se le otorgó el Premio al Negociador Excelente concedido por el Programa sobre Negociación, que tiene su sede en la facultad de derecho de Harvard. Los comentarios se hicieron en el marco de una mesa redonda que formaba parte de las actividades relacionadas con la celebración del Negociador Excelente.

¿Pero cómo excluyes a alguien, aunque sea en beneficio de todo el grupo? He aquí lo que hizo Koh:

> Así que me inventé un nuevo grupo al que llamé «Grupo de Expertos Económicos» y escogí una sala que podía alojar a un máximo de 40 personas. La composición era abierta, sin que hubiera ningún nombre. Podía asistir cualquiera. Pero denominarlo simplemente Grupo de Expertos Económicos era como un poco intimidatorio. Así que a muchos de mis colegas les pareció que no estaban cualificados para integrarse en ese grupo. Yo no intenté disuadirles de [diciéndoles] que lo hicieran. Y así fue como la mayoría no asistió... Y eso nos facilitó —en un foro más reducido— [la posibilidad] de avanzar en el conocimiento colectivo del problema.

Como observamos en el planteamiento de Koh, los negociadores eficaces tratan de prever el estancamiento y crear las condiciones que permitan a la gente alejarse de la confrontación directa sin sentir que están perdiendo o cediendo algo de importancia. Habría sido mucho más difícil pedirle a la gente que abandonara la sala que crear una fórmula que de inicio les disuadiera de entrar. Esto nos recuerda que no hay que esperar a que el conflicto estalle antes de que empecemos a pensar en la formulación, la óptica, los problemas de las audiencias y la ambigüedad estratégica. Si las partes van a chocar, es mejor ayudarlas a que se desvíen la una de la otra que recoger después los pedazos.

Recientemente, un colega y yo analizábamos la siguiente situación: había que seleccionar una persona para supervisar un proceso de paz entre las facciones enfrentadas dentro de un mismo grupo étnico. Sabíamos que el líder de una facción concreta estaba absolutamente convencido de que debía ser él el escogido porque, desde su punto de vista, era *el* líder legítimo del grupo étnico y merecía ocupar ese prestigioso puesto. El problema era que no todas las facciones beligerantes estaban de acuerdo, y dicha discrepancia era una de las principales razones de tanta lucha intestina. El líder en cuestión era demasiado poderoso para ser desairado, y demasiado controvertido para ser incluido. Desde nuestro punto de vista, necesitábamos a alguien en el que pudieran confiar todas las partes. Mi sugerencia fue la de reformular y redefinir la figura del supervisor, de manera que ya no fuera representativa de prestigio ni rango, y que lo hiciéramos antes de abordar con detalle el asunto del cargo con las partes. Si la de supervisor se concebía como una función más burocrática y de menor nivel, había menos probabilidades de que el líder aspirase a ella.

Las controversias son más fáciles de prevenir que de resolver. A veces, las decisiones se pueden reformular de una manera que contribuyan a que la gente evite la confrontación de entrada.

MOMENTOS DE GRAN EFECTO MULTIPLICADOR PARA LA FORMULACIÓN

Tanto el ejemplo de Marruecos como el de la Ley del Mar sirven para poner de relieve otro factor generalmente olvidado en las negociaciones: junto con los grandes temas y decisiones a las que frecuentemente deben enfrentarse las partes, hay muchas decisiones menos visibles, menos urgentes y aparentemente más sencillas que ocasionalmente pueden tener una gran influencia en el resultado del acuerdo. En el caso de Koh, dada la enormidad de la negociación en general, la decisión de pasar de un grupo plenario a un grupo de trabajo no fue un momento especialmente digno de mención. En el caso del sultán, no había ninguna urgencia en tenderle la mano a los Estados Unidos ni en apresurarse a establecer relaciones pacíficas. Pero en ambos casos, se previno el posible conflicto mediante pequeñas acciones iniciales que se llevaron a cabo antes de que hubiera *necesidad* de actuar.

Esto no quiere decir que uno tenga que preocuparse de todas y cada una de las pequeñas decisiones que se dan en una negociación, aunque en la mayoría de estas hay algunas decisiones pequeñas pero trascendentes que los negociadores deberían considerar seriamente. A mi parecer, se trata de *momentos de gran efecto multiplicador* que, a cambio de un esfuerzo relativamente pequeño, permiten influir de manera significativa en la fórmula y, de este modo, en las probabilidades de éxito. Estos momentos de gran efecto multiplicador suelen surgir en las primeras etapas de la negociación o relación, cuando la fórmula está todavía a disposición del que la quiera y todas las decisiones ofrecen la posibilidad de ser imbuidas de una trascendencia mayor. Esto queda demostrado de manera fehaciente por un incidente que se remonta a los inicios de las relaciones entre Estados Unidos y Marruecos.[4] Cuando Thomas Barclay estaba negociando el tratado con los marroquíes, el sultán sacó a colación la cuestión de un tributo —un presente— que decía debía recibir para garantizar el acuerdo entre los dos países. Barclay respondió que el único «tributo» que podía ofrecer era la amistad con los Estados Unidos en pie de igualdad. Si eso era inaceptable para el sultán, dijo Barclay, tendría que regresar a los Estados Unidos sin tratado. En ese pequeño momento de gran efecto multiplicador, el sultán

---

4. Lo que sigue está extraído del informe histórico de la Misión Diplomática de los Estados Unidos a Marruecos, conservado por el Departamento de Estado. Véase «U. S. Morocco Relations. The Beginnings», http://morocco.usembassy.gov/early.html. Consultado el 25 de junio de 2015.

cedió y aceptó *una relación basada en la igualdad.* Aquel fue un movimiento bastante inteligente con un país que llegaría a convertirse en la mayor superpotencia del mundo.

Las acciones iniciales pueden tener una trascendencia acrecentada. Busquemos oportunidades poco costosas para influir eficazmente en la formula y establecer las expectativas y precedentes que se adecuen a la relación.

RESUMEN DE LAS ENSEÑANZAS DE LA PRIMERA PARTE: EL PODER DE LA FORMULACIÓN

• Controlemos la fórmula de la negociación.

• Facilitemos a la otra parte que se retracte de las posturas firmes.

• Las concesiones sensatas sobre el estilo y la estructura pueden contribuir a evitar costosas concesiones sobre el fondo.

• Prestemos atención a la óptica: ¿qué le parecerá el acuerdo a la audiencia de la otra parte?

• Ayudemos a la otra parte a vender el acuerdo a su audiencia.

• Asegurémonos de que la otra parte pida ayuda sobre la óptica.

• Evitemos las negociaciones de un solo asunto: incluyamos asuntos o vinculemos negociaciones independientes sobre un único asunto.

• Negociemos varios asuntos al mismo tiempo, no sucesivamente.

- Diseminemos el punto de atención para que un asunto no adquiera demasiada preponderancia.

- Si solo hay un asunto, hay que tratar de dividirlo en dos.

- Desenmascaremos los intereses implícitos: las exigencias incompatibles pueden ocultar intereses reconciliables.

- Seamos firmes en cuanto al fondo, y flexibles sobre la estructura: sé adónde tengo que llegar, soy flexible en cuanto a la manera de llegar allí.

- Salir del punto muerto es un objetivo a corto plazo bastante valioso.

- Abordemos la lógica de la idoneidad: ¿qué hace una persona como yo en una situación así?

- Saquemos provecho de la prueba social para impulsar la idoneidad.

- Formular una opción como única es una espada de doble filo.

- Formulemos nuestra propuesta como la opción predeterminada.

- La parte que redacta la versión inicial del acuerdo o el procedimiento adquiere ventaja.

- Establezcamos el punto de referencia adecuado para las valoraciones de la otra parte.

- Justifiquemos siempre nuestra oferta, nunca nos disculpemos por ella.

- La ambigüedad estratégica puede ayudar a resolver un estancamiento cuando nadie puede dar marcha atrás.

- La ambigüedad estratégica solo debería utilizarse si existen otros mecanismos que garanticen el cumplimiento.

- La ambigüedad estratégica puede contribuir a superar las dudas iniciales para iniciar las relaciones.

- La ambigüedad no es solución para las controversias de fondo.

- La ambigüedad implica un equilibro entre los conflictos actuales y las controversias futuras.

- Si se recompensa el cierre de los acuerdos, los negociadores podrían ocultar desacuerdos en el fondo para sacar adelante acuerdos imperfectos.

- Los acuerdos ambiguos pueden ser parasitarios, lo que perjudica a aquellos que no se sientan a la mesa de negociaciones.

- Hay que ser el primero en actuar: hay que controlar la fórmula desde el principio.

- Si la fórmula existente no es beneficiosa, hay que reformularla lo antes posible.

- Mejor prevenir los conflictos que resolverlos: formulemos las decisiones de manera que ayudemos a la gente a evitar el enfrentamiento.

- Desde el principio de la relación, encontremos oportunidades poco costosas de crear la fórmula correcta para la relación.

Segunda parte
EL PODER
DEL PROCEDIMIENTO

La buena noticia es que hay luz al final del túnel. La mala, que no hay túnel.

SHIMON PERES

7

EL PODER DEL PROCEDIMIENTO

La negociación de la Constitución de los Estados Unidos

La guerra de la independencia americana entre los Estados Unidos y Gran Bretaña duró ocho años y concluyó formalmente con el Tratado de París, que fue firmado en 1783. Para entonces, los Artículos de la Confederación llevaban sirviendo como documento rector de los Estados Unidos desde hacía seis años.[1] No por azar, los artículos conferían escaso poder al gobierno central, mientras que la soberanía de los 13 estados era suprema. Los Artículos llegaban incluso a aclarar que la relación entre los estados no pasaba de ser una mera «federación de amistad mutua». Esto era algo que cabía esperar dado que la confederación estaba formada por personas que se acababan de liberar del yugo de un poder que residía en una monarquía lejana. Pero muy pronto empezaron a surgir problemas con este acuerdo. George Washington, comandante en jefe del Ejército Continental, había sido testigo de excepción de las deficiencias durante la misma guerra. El Congreso no tenía autoridad para recaudar impuestos, y los estados solían mostrarse reacios a contribuir con los fondos necesarios para hacer frente a los gastos militares o a la deuda de

---

1. Los artículos no fueron formalmente ratificados por la totalidad de los 13 estados hasta 1781.

guerra contraída con otros países. Una vez finalizado el conflicto bélico, los problemas se agravaron. El Congreso era considerado tan incapaz que sus delegados ni siquiera solían aparecer; y en las ocasiones en que se conseguía un quórum, era poco lo que se lograba. Incluso las proposiciones de ley que tenían como objeto aumentar el dinero de los impuestos para pagar la deuda de guerra acababan siendo rechazadas, no porque la mayoría de los estados disintieran, sino porque los Artículos concedían a todos los estados el derecho a veto. En 1786, Rhode Island rechazó una ley de este carácter a pesar del apoyo de los otros 12 estados; en 1787, Nueva York decidió hacer otro tanto con su voto.

Las pruebas de que los Artículos tenían graves limitaciones se acumulaban. En 1787, la efímera pero ampliamente divulgada Rebelión de Shays, un levantamiento de los granjeros de Massachusetts motivada por las reivindicaciones económicas de estos, provocó que los problemas políticos y económicos que azotaban a la joven nación se hicieran especialmente intensos. Al cabo de poco tiempo, los diversos estados acordaron enviar delegados a la Convención de Filadelfia. El objetivo de la convención era manifiestamente humilde: estudiar la introducción de algunas modificaciones a los Artículos de la Confederación. Si la convención se hubiera visto como un encuentro en el que los reformadores intentarían reestructurar completamente el gobierno y arrebatarle el poder a los estados, es improbable que cualquiera de ellos se hubiera planteado siquiera enviar delegados. Y, sin embargo, eso fue precisamente lo que sucedió.

Aunque ciertamente es posible exagerar la influencia que una sola persona juega en los acontecimientos históricos, con toda razón se considera que James Madison fue uno de los pocos personajes indispensables aquel verano en Filadelfia. Sin embargo, se mire por donde se mire, todo estaba en su contra. Con su metro sesenta y dos y cerca de cuarenta y cinco kilos, Madison no sobresalía ni por peso ni por estatura; lejos de ser un orador cautivador, era tímido, y en los debates a veces hablaba demasiado bajo para que se le oyera; y a sus treinta y seis años de edad, ni era un héroe de guerra, ni una destacada figura nacional, ni tan siquiera un miembro veterano de la delegación de su estado natal de Virginia. Pero el mayor problema era que entre la población norteamericana en general había muy poco respaldo a una reforma sustancial, y la idea de que las asambleas legislativas de los estados fueran a aceptar cualquier reducción considerable de sus poderes era casi impensable. No obstante, en gran parte gracias a los esfuerzos de Madison, cuando la convención terminó, los delegados habían redactado una constitución completamente nueva que desviaba unas cuotas considerables de poder hacia el nuevo gobierno central. A finales de 1788, la requerida mayoría absoluta de los estados (nueve de trece) la había ratificado, y a principios de 1789 la Constitución de los Estados Unidos se convirtió en la norma suprema del país. ¿Cómo pudo suceder tal cosa?

NEGOCIAR LO IMPOSIBLE

Por su contribución, Madison acabaría siendo conocido como el «Padre de la Constitución». Y aunque habló más de doscientas veces durante los debates que tuvieron lugar en el verano de 1787, gran parte de lo que consiguió realizar podría atribuirse a lo que acaeció *antes* siquiera de que la mayoría de los demás delegados hubieran llegado a Filadelfia. Cuando comenzó la convención, Madison ya había determinado las deliberaciones que iban a tener lugar.[2]

---

2. Algunos de los detalles mencionados aquí se han encontrado en Beeman, Richard, *Plain, Honest Men: The Making of the American Constitution*, Random House, Nueva York, 2009.

Madison llegó a Filadelfia el 3 de mayo de 1787, 11 días antes de la fecha prevista para el comienzo de la Convención Constitucional. Fiel a su carácter, fue el primer delegado en aparecer. George Washington, un paisano de Virginia —y el hombre más popular del continente— sería el segundo en hacerlo, diez días después. Cuando Madison y Washington acudieron al auditorio de la convención el 14 de mayo para asistir al previsto comienzo de las ya históricas deliberaciones, descubrieron que aparte de algunos lugareños de Pensilvania, eran las dos únicas personas de los otros 12 estados que habían llegado a Filadelfia. Aunque preocupado con toda razón por lo que presagiaba aquel retraso, Madison se puso a trabajar enseguida. A su juicio, la labor que aguardaba era la de convencer a los demás delegados de que había que deshacerse por completo de los Artículos de la Confederación; para ser más exactos, y teniendo en cuenta las deficiencias potencialmente letales de un sistema en el que cualquier estado podía desautorizar a todos los demás en asuntos de importancia nacional, el nuevo sistema tenía que investir al gobierno nacional de un poder notablemente mayor.

Madison entendía que el principal obstáculo al drástico cambio que deseaba era el procedimiento predeterminado imperante: los Artículos de la Confederación iban a ser el punto de partida de cualquier conversación. Mientras los Artículos actuaran como el modelo que había que revisar, también constituirían un anclaje demasiado poderoso en todos los debates sobre la forma de estructurar el gobierno adecuadamente. Un proceso basado en: «¿Cómo deberíamos revisar los Artículos?» jamás podría conducir a tantos cambios como un procedimiento fundamentado en: «¿Cuál es el mejor sistema de gobierno?» Por consiguiente, había que cambiar el procedimiento.

En colaboración con George Washington y otros delegados de Pensilvania y Virginia con ideas afines, Madison empezó a redactar un documento alternativo que pudiera servir como punto de partida para los debates. Lo que acabaría conociéndose como el «Plan de Virginia» constaba de 15 resoluciones que, aunque planteadas como revisiones a los Artículos, de hecho ponían patas arriba el pacto existente entre los estados. Entre sus propuestas destacaban la idea de la representación proporcional en el Congreso, lo que otorgaba el poder a los ciudadanos en lugar de a las cámaras legislativas de los estados; el derecho a veto del poder ejecutivo; los elementos para el equilibro entre los poderes; y la potestad del poder legislativo para invalidar las leyes estatales que fueran incompatibles con el interés nacional. Y en lo que quizá era la medida más astuta, y previendo la resistencia a los cambios por parte de las cámaras legislativas de los estados, el Plan también proponía un procedimiento revisado para ratificar la nueva Constitución: este exigía que la ratificación se realizara no por las cámaras legislativas de los estados, sino por las asambleas específicamente elegidas a tal fin por los ciudadanos de los diferentes estados.[3]

Ni siquiera el considerable talento congregado en Filadelfia en mayo de 1787 habría dado a la luz semejante documento sin la exhaustiva preparación acometida por Madison antes de poner un pie en Filadelfia. Un mes antes, en abril de 1787, después de innumerables semanas de concienzuda y exhaustiva investigación sobre la historia de las diferentes formas de gobierno en la que se remontó al menos hasta la antigua Grecia, Madison había redactado un documento titulado «Vicios del sistema político de los Estados Unidos». En él, exponía una meticulosa crítica al sistema existente y además proponía las ideas sobre la forma de abordar los problemas. Tras compartirlo en mayo con los delegados de Virginia y Filadelfia, dicho estudio no solo sirvió de piedra angular para el Plan de Virginia, sino también como fundamento de la reforma presentada ante la Convención Constitucional.

---

3. *Ibídem.*

Finalmente, la Convención dio comienzo el 25 de mayo. Solo cuatro días después, el gobernador de Virginia Edmund Randolph presentaba el Plan de Virginia. Las reacciones oscilaron entre el respaldo entusiasta y la ira y la consternación. Pero la suerte estaba echada, y todos los debates subsiguientes se celebrarían a la sombra del Plan de Virginia. Ahora estaba vigente un nuevo procedimiento; en lugar de debatirse la legitimidad de las revisiones de los Artículos, las discusiones se centraron en apoyar u oponerse a los elementos contenidos en el Plan de Virginia. En los meses sucesivos se adquirieron muchos compromisos entre todas las partes, pero a medida que pasaron los días, los Artículos de la Confederación fueron cayendo paulatinamente en el olvido.

TENER UNA ESTRATEGIA PARA EL PROCEDIMIENTO

Lo que realmente pone de manifiesto el genio de Madison no es simplemente la magnitud de su preparación, sino el enfoque de esta. Mientras que la mayoría de las personas saben prepararse para los debates sobre el fondo que acabarán por plantearse, Madison comprendió la fuerza de *moldear el procedimiento* que en última instancia determinará el qué, el cuándo y el cómo de los debates que tendrán lugar sobre las cuestiones de fondo. Los ejemplos más evidentes fueron los esfuerzos exhaustivos de Madison por restablecer el punto de partida de los debates y las alianzas que estableció *antes* siquiera de que la convención diera comienzo. De no haber llevado a cabo esas intervenciones en el procedimiento, las negociaciones podrían haber tenido un desenlace bien diferente. Otro elemento procedimental esencial que propició Madison fue la *ley mordaza* que los delegados instauraron para proteger los debates de la injerencia pública; si desde el principio se hubiera filtrado demasiada información sobre las negociaciones en curso, a algunos delegados les habría resultado difícil continuar con las controversias de la convención. Si todos esos elementos del procedimiento no hubieran sido meticulosamente estudiados y moldeados, los debates habrían comenzado —y probablemente terminado— de forma bastante diferente.

El fondo de una negociación versa sobre *qué* es lo que intentan conseguir las partes. El procedimiento tiene que ver con la forma en que llegarán desde donde se encuentran hoy a donde quieren estar. En la sección anterior, analizamos el peligro de centrarse exclusivamente en el fondo e ignorar la formulación. En esta, utilizaré el mismo argumento en relación al procedimiento: incluso la estrategia más brillante para abordar el fondo de las negociaciones puede acabar debilitada si no se presta suficiente atención al procedimiento. Estos son solo unos *pocos* elementos del proceso que hay que considerar y tratar de moldear:

- ¿Cuánto durarán las negociaciones?

- ¿Quién participará y con qué competencias?

- ¿Qué se incluirá en el orden del día, y en qué orden se debatirán las cuestiones?

- ¿Quién redactará la propuesta inicial?

- ¿Qué negociaciones serán públicas, y cuáles privadas?

- ¿Cuándo y cómo se informará de los avances a las personas ajenas a las negociaciones?

- Habida cuenta de la multiplicidad de partes o asuntos, ¿habrá una o muchas negociaciones?

- ¿Estarán todas las partes en la misma sala al mismo tiempo?

- ¿Las negociaciones se celebrarán cara a cara o a través de medios tecnológicos?

- ¿Cuántas reuniones se programarán?
- ¿Cómo se gestionarán los estancamientos en los puntos importantes u otros problemas?
- ¿Habrá observadores externos o mediadores?
- ¿Qué plazos, si los hubiere, serán o no obligatorios?
- ¿Qué acontecimientos podrían ayudar a impulsar y mantener el procedimiento en el buen camino?
- Si las negociaciones acaban sin que se alcance un acuerdo, ¿cuándo y cómo podrían reemprenderlas las partes?
- ¿Cuáles son las partes que tienen que ratificar el acuerdo, y qué respaldo se necesita para la aprobación?

En la mayoría de las negociaciones, algunos o muchos de estos factores estarán predeterminados, o estará vigente un procedimiento por defecto debido a los antecedentes o a las acciones de las demás partes. Pero, como hemos visto, lo predeterminado no tiene por qué aceptarse ciegamente; se puede volver a establecer para obtener una gran ventaja. Tal cosa sucede únicamente si los negociadores han evaluado todos los elementos importantes del procedimiento por adelantando y han valorado la manera en que los procedimientos alternativos podrían facilitar o dificultar el avance.

Hay que tener una estrategia de la manera de proceder: ¿cómo llegaremos desde donde estamos adonde queremos estar? Analicemos los factores que determinarán si, cuándo y cómo tendrán lugar las negociaciones sobre el fondo.

NO IGNOREMOS EL PROCEDIMIENTO DE IMPLANTACIÓN

En el caso de la Constitución de los Estados Unidos, la importancia crucial del procedimiento puede observarse aun después de la clausura de la convención. Gran parte del éxito en la consecución de la *ratificación* por parte de los estados puede atribuirse al tipo de procedimiento implantado. Recordemos que muchos gobiernos estatales habrían estado en contra de la clase de cambios que proponía la nueva Constitución. Además, muchos de sus detractores iban a alegar que los delegados que asistieron a la Convención Constitucional se habían excedido en sus potestades, que el gobierno nacional había sido investido de excesivo poder y que los derechos individuales no quedaban suficientemente protegidos (preocupación que quedaría subsanada más tarde por la Declaración de Derechos).

¿Y cómo se obtiene el respaldo suficiente para un acuerdo que sin duda provoca la consternación en muchos de los que han sido ajenos a la negociación? Por suerte para Madison y los demás partidarios de la Constitución (apodados los Federalistas), el proceso de ratificación estaba hecho a medida para que les ayudara a superar la oposición de los antifederalistas. Primero, y lo más esencial, de acuerdo con el artículo VII de la Constitución, solo era necesaria la ratificación de nueve de los trece estados para que la Constitución entrara en vigor para tales estados. Esto a pesar del hecho de que cualquier revisión previa de los Artículos de la Confederación, que era lo que se suponía tenía que ser la nueva Constitución, exigía el voto unánime de los trece estados. Segundo, la ratificación se produjo mediante unas convenciones especialmente denominadas «de ratificación de los estados», en lugar de por los plenos de las cámaras legislativas estatales. Tercero, los delegados solo estaban autorizados a elegir una opción —votar sí o no— y no podían proponer enmiendas ni negociar revisiones. Y cuarto, los Federalistas actuaron con rapidez y de manera estratégica para programar unas votaciones anticipadas pensadas para conseguir la aprobación en cinco de los estados constitucionalistas. Esto facilitó que los delegados de otros estados que pudieran haber estado indecisos se sintieran más cómodos votando a favor. Sin duda, también se hicieron concesiones sustanciales a fin de apuntalar el apoyo de algunos estados, siendo la más destacable el acuerdo por el que la Declaración de Derechos sería abordada por el primer Congreso constituido bajo la nueva Constitución. Pero es difícil imaginar cómo podrían haber tenido éxito los Federalistas de no haber estado implantados los elementos procedimentales adecuados. Si la ratificación hubiera exigido el consenso, los estados como Rhode Island, que ni siquiera había enviado delegados a la Convención, a buen seguro habrían vetado todos los intentos desde el comienzo. Si se hubiera permitido que los estados votaran diferentes versiones de la Constitución o pudieran reabrir debates con la esperanza de conseguir concesiones, podemos tener la certeza de que todo habría acabado en un callejón sin salida. De igual manera, si los antifederalistas hubieran dispuesto de más tiempo para preparar una recusación organizada a la Constitución, quizá las cosas hubieran tenido un final diferente.

No es suficiente con tener una estrategia para el procedimiento de negociación; también hay que elaborar una estrategia para el proceso de implantación. ¿Qué será necesario para tener éxito en la implantación? ¿Cómo recabar el respaldo suficiente para el acuerdo? ¿Cómo garantizar la ratificación?

EL PODER DE LA PREPARACIÓN

Como ha quedado patente en todo momento, Madison entendió el poder que se derivaba de ser la persona más preparada de una reunión. Fue este rasgo el que le inspiró para realizar su investigación académica previa a la convención y para ponerse en contacto con los demás delegados de Virginia y pedirles que llegaran antes a fin de esbozar «algunos materiales de trabajo para la Convención». Pero esta cualidad también la llevó a la misma Convención. William Pierce, el delegado de Georgia que se hizo famoso por sus observaciones caracterológicas de los demás delegados, se refirió a Madison como alguien que «siempre destaca por ser el hombre mejor informado sobre cualquier cuestión en el debate».

Las ventajas de una preparación concienzuda son tan evidentes en las negociaciones complejas como lo son en los consejos de administración, las ventas telefónicas, los procesos judiciales y las deliberaciones sobre los ascensos en las reuniones de departamentos. En todos y cada uno de estos entornos, algunos aparecen penosamente preparados, otros con la suficiente preparación para salir del paso y algunos más están preparados para reaccionar ante casi todo. Nadie quiere ser como alguna de esas personas en una situación realmente importante. Uno quiere ser un Madison: alguien que tiene todos los hechos al alcance de la mano, que puede anticiparse a las argumentaciones y reservas de las demás partes y que ha examinado meticulosamente no solo la solidez, sino también los puntos débiles de su propia argumentación. Esta es la persona a la que es más difícil ignorar o intimidar, a quien con toda probabilidad los demás mostrarán su respeto y quien moldeará y volverá a moldear con suma facilidad y eficacia el procedimiento y las negociaciones sobre el fondo.

Seamos las personas más preparadas de la reunión. Conozcamos los hechos, adelantémonos a las argumentaciones y conozcamos nuestros puntos débiles.

En los capítulos que siguen, seguimos profundizando en la importancia del procedimiento e identificamos los importantes principios a tener en cuenta mientras avanzamos en nuestras negociaciones y conflictos. Como veremos a lo largo de este capítulo, aunque es esencial entender bien las cuestiones de fondo, equivocarse en el procedimiento puede seguir siendo fatal. Además, como se pone de manifiesto en el siguiente capítulo, no es suficiente con prestar la debida atención a los elementos del procedimiento: se debe dar *prioridad* al procedimiento. Centrarse en este desde el principio, a veces puede ayudar a evitar por completo los estancamientos y los conflictos desagradables.

8

APROVECHAMIENTO DEL PODER DEL PROCEDIMIENTO

Renegar de un apretón de manos de 10 millones de dólares

Sun Microsystems estaba todavía en pañales cuando, allá por 1983, dos de sus cofundadores se dispusieron a obtener financiación por valor de 10 millones de dólares.[1] Después de considerar diversas opciones, Vinod Khosla y Scott McNealy habían decidido conseguir financiación de un inversor estratégico, una de las cien mayores empresas de Estados Unidos según la revista *Fortune*, que veía los beneficios de acceder a la tecnología que Sun estaba creando y para quien el importe de la inversión sería meramente testimonial.[2] Tras sentarse con el director general de la empresa de la lista de Fortune 100, Khosla y McNealy llegaron a un acuerdo: una inversión de 10 millones sobre una valoración posterior a la inversión de 100

---

1. Khosla, Vinod, comunicación personal con el autor, octubre de 2014.

2. Un «inversor financiero» es alguien que invierte exclusivamente con la esperanza de obtener en el futuro un buen rendimiento a la cantidad invertida. Un «inversor estratégico» también suele estar interesado en el resultado financiero de la inversión, pero es alguien que ve unos beneficios añadidos en la relación con la empresa afectada.

millones.[3] Las partes se estrecharon las manos para cerrar el trato y acordaron reunirse a la semana siguiente en Chicago para ultimar el pliego de condiciones.

Khosla y McNealy volaron de San Francisco a Chicago para lo que esperaban sería una breve reunión en la que ultimar las condiciones restantes, la mayoría de las cuales entrañaban unas disposiciones normales. Así que se quedaron sorprendidos cuando el director general apareció en la reunión con una docena de personas, entre las que se contaban una grey de banqueros y abogados. Enseguida resultó evidente que ese día los banqueros y los abogados llevarían la voz cantante, y que las negociaciones se celebrarían *ex novo*, como si las conversaciones de la semana anterior nunca hubieran tenido lugar. En lo que concernía a los inversores, el volumen y valoración de la inversión estaban todavía completamente en el aire.

Khosla y McNealy no podían sino especular sobre lo que estaba sucediendo. ¿Es que el director general no había considerado nunca que su «acuerdo» era definitivo? ¿Estaban los banqueros y los abogados tratando simplemente de demostrar su valía consiguiendo un acuerdo mejor? ¿Tenían la sensación en el otro lado de la mesa de que a esas alturas Sun estaba demasiado comprometida o desesperada para rechazar cualquier exigencia de última hora?

La realidad era que, si las cosas se ponían feas, Khosla y McNealy estaban dispuestos a aceptar un acuerdo peor. Pero acceder a la exigencia de volver a renegociar sería costoso, financieramente y por principios. ¿Qué hacer?

---

3. Los dos principales parámetros en cualquier inversión de este carácter son (a) la cantidad que se invierte y (b) la valoración de la empresa acordada conjuntamente. Considerados conjuntamente, ambos determinan cuál será el porcentaje de la propiedad que se transfiere al inversor. En el caso de Sun, el inversor recibiría el 10 por ciento de las acciones por haber invertido 10 millones de dólares en una empresa que se consideraba valorada en 100 millones de dólares después de la inversión.

SIN RECURRIR AL DINERO NI A LA FUERZA

Khosla recuerda su plan de acción: «Ni siquiera quise preguntarles qué cantidades tenían en la cabeza. No quería avanzar por ese camino. Quería adoptar una postura enseguida sobre el procedimiento». Khosla le dijo al grupo que, a su entender, determinadas condiciones ya habían sido acordadas, y que no deseaba volver a negociarlas. Previendo la posibilidad de que la otra parte tal vez no se hubiera esperado esa respuesta, ofreció darles tiempo para reunirse y tratar el asunto. El mensaje que les envió fue esencialmente el siguiente: «Habíamos llegado a un acuerdo sobre algunas cosas. Empecemos por ahí. Si eso no es lo que quieren hacer, entonces tenemos que analizar esta relación más a fondo. ¿Estamos donde creíamos que estábamos, o estamos en otra parte? ¿Por qué no lo hablan entre ustedes y nos lo comunican: estamos o no de acuerdo?»

Los cofundadores de Sun abandonaron la sala para permitir que los inversores deliberaran. Cuando regresaron al cabo de unos minutos, descubrieron que no había cambiado nada. Desde el punto de vista de la otra parte, la negociación de las cantidades seguía abierta.

Toda vez que la otra parte había redoblado su estrategia de firmeza, Khosla y McNealy se quedaron sin ideas para sacarlos fácilmente de allí. Quizá hubieran llegado a la conclusión de que el acuerdo de la semana anterior era demasiado generoso. Pero también era posible que todo se debiera a un verdadero problema de falta de organización de la otra parte, o a que nadie estuviera preparado para retroceder con demasiada rapidez, sobre todo en presencia del director general y del equipo de Sun. Hasta donde Khosla y McNealy alcanzaban a comprender, eso dejaba dos alternativas. La primera era aceptar una reducción de las cantidades y cerrar el trato. Pero Khosla y McNealy decidieron recurrir a la segunda opción: le dijeron al director general que les gustaría retomar las conversaciones donde las habían dejado la semana anterior, pero que si eso no era posible ese día, tendrían que marcharse de Chicago sin acuerdo.

Una hora después, Khosla y McNealy volaban de vuelta a San Francisco sin acuerdo. Luego, una vez que llegaron a casa, tuvieron que hacer acopio de toda la determinación que les quedaba para no llamar de nuevo al director general. Si habían entendido bien los intereses de ambas partes, los dólares en juego no deberían haber sido un motivo de ruptura para la otra parte. Khosla lo recuerda así: «La valoración nos importaba mucho. Solo queríamos el dinero al mejor precio, con el menor debilitamiento posible de nuestras acciones. Los intereses de la otra parte eran fundamentalmente estratégicos, pues la cantidad no era nada del otro mundo para ellos. Perder el acuerdo nos perjudicaría, aunque no nos mataría; y hasta donde sabíamos, ellos nos necesitaban».

El período de reflexión dio sus frutos. Pocos días después, el director general llamó a Khosla y aceptó volver a las condiciones iniciales. En esta ocasión, cuando los equipos se reunieron para concluir el acuerdo, no hubo sorpresas.[4]

NEGOCIAR EL PROCEDIMIENTO ANTES QUE EL FONDO

¿Qué fue lo que llevó a este conflicto? En todas partes, desde las negociaciones más triviales a los acuerdos más complejos y las controversias dilatadas, a menudo he presenciado cierta tendencia a apresurarse en alcanzar un acuerdo sobre el fondo e igno-

---

4. El acuerdo salió bien para todos los involucrados. Después de otros 27 años de crecimiento del negocio, Sun Microsystems fue adquirida finalmente por Oracle en 2010 por más de siete mil millones de dólares.

rar un entendimiento sobre el procedimiento. Huelga decir que es tan necesario lo uno como lo otro. Pero en lo tocante a las negociaciones importantes, las consideraciones acerca del procedimiento deberían ir, en buena medida, por delante de la negociación de las cuestiones de fondo: *hay que negociar el procedimiento antes que el fondo.*

Pensemos en lo siguiente: llevamos semanas negociando con nuestro interlocutor. Después de un esfuerzo considerable, parece que estamos cerca de alcanzar un acuerdo. Decidimos entonces ofrecer una última concesión a la que nos hemos estado resistiendo hasta ahora y aceptamos una de sus exigencias más onerosas; este es un movimiento con el que confiamos sellar el acuerdo. Hacemos la concesión, y la otra parte responde: «Gracias. Eso es de una gran ayuda. Agradezco su flexibilidad. Ahora, me gustaría repasar las cosas con mi jefe para ver qué piensa de ello». Nos quedamos allí sentados, perplejos y pensando para nosotros: «¿Qué? ¿Que tienes un jefe? Pensaba que esto iba a ser el final. No tengo nada más que dar». El error, en este ejemplo un tanto estilizado, es uno que se da con demasiada frecuencia: el no negociar el procedimiento antes de zambullirse en el fondo.

Negociar el procedimiento implica valorar el predeterminado (o propuesto) y reformularlo si es necesario y posible. También entraña hacer preguntas, transmitir suposiciones y expectativas y llegar lo más cerca posible de un entendimiento común *sobre la ruta que lleva desde donde estamos hasta la línea de meta.* ¿Cómo iremos de aquí allí y cuáles son los factores que pueden influir en la trayectoria y la velocidad? No negociar el proceso con eficacia puede llevar a cometer errores sobre el fondo a posteriori, entre ellos realizar concesiones inoportunas; plantear propuestas o exigencias mal concebidas; cometer fallos de coordinación entre las diferentes vías o canales de la negociación; y no prever obstáculos tales como los plazos, los escollos burocráticos o políticos y el comportamiento de los aguafiestas.[5]

El procedimiento hay que negociarlo antes que el fondo. Entendamos e influyamos en el proceso antes de ahondar en exceso en las discusiones sobre el fondo o la oferta de concesiones.

LA COORDINACIÓN CON LA OTRA PARTE SOBRE EL PROCEDIMIENTO

Que hayamos negociado el procedimiento no significa que las cosas no puedan salir mal. Aunque desde el principio haya un acuerdo claro al respecto, a veces las partes pueden llegar a disentir sobre la fase del procedimiento en la que se encuentran. Por ejemplo, a una de las partes puede parecerle que están cerca de un acuerdo y que deberían olvidarse de otras alternativas, mientras que la otra piensa que todavía está legitimada para seguir buscando. En el caso de Sun, el conflicto probablemente no lo fuera tanto sobre los dólares y los centavos como acerca de la falta de coordinación sobre dónde se encontraban en el procedimiento; de hecho no fue necesario que Sun hiciera más concesiones para cerrar la inversión. Khosla sigue sin saber qué es lo que había realmente detrás del aparente cambio de actitud del director general. Pero ya fuera un intento de exprimirles para obtener algunas concesiones de última hora, o simplemente una diferencia de opiniones en cuanto a si el acuerdo había sido realmente cerrado la semana anterior, lo que sí está claro es la enseñanza:

---

5. Los aguafiestas son aquellas partes cuyo principal o exclusivo interés en la negociación es el de que no haya acuerdo.

es importante coordinar las expectativas en relación a dónde estamos en el procedimiento.

La descoordinación sobre el procedimiento puede hacer descarrilar los acuerdos. Hay que asegurarse —cuanto antes y a menudo— de que se está de acuerdo en cuanto a lo logrado y cuál parece ser el camino a seguir.

BUSCAR CLARIDAD Y COMPROMISO

Hasta ahora hemos venido suponiendo que tenemos cierta capacidad para crear un procedimiento que sea de nuestro agrado, pero como es evidente, ese no será siempre el caso. De acuerdo con mi experiencia, aunque se carezca de la capacidad para moldear el procedimiento, resulta muy ventajoso buscar la claridad y el compromiso sobre él. Una mayor *claridad* (la comprensión del procedimiento) y un mayor *compromiso* (las garantías de que será seguido) pueden ayudar a los negociadores a avanzar hacia unos resultados mejores y evitar los errores tácticos y estratégicos, incluso cuando no tengan la influencia para modificar el procedimiento.

Esto es algo que sucede en todo tipo de negociaciones. Por ejemplo, si unos banqueros están dirigiendo la venta de un bien como pueda ser una empresa, tienen muchas opciones y control sobre la negociación o proceso de subasta que diseñen (por ejemplo: cuántas rondas de presentación de ofertas; en virtud de qué serán rechazados los postores; qué información se transmitirá y cuándo; etcétera). Si yo estoy sentado al otro lado de la mesa, y aunque tenga una influencia limitada en la estrategia del procedimiento, sería un error que no obtuviera la mayor información posible sobre como será este y todo el compromiso posible de que no se modificará en mi perjuicio. De igual manera, los vendedores y negociadores estratégicos que no investiguen a fondo la forma que tiene una empresa cliente de tomar las decisiones de compra o de colaboración, se están poniendo en una situación de desventaja innecesaria, por más que no haya ninguna posibilidad de influir en el procedimiento. Incluso en las situaciones sencillas, llama la atención la frecuencia con que las personas olvidan la posibilidad de reunir información sobre el procedimiento que es tan accesible como útil; por ejemplo, el solicitante de un empleo que no investiga cuánto tiempo necesita un empresario para tomar una decisión de contratación, o el propietario de una casa que no busca aclararse sobre cuánto tardaría una rehabilitación de su vivienda y qué factores podrían provocar retrasos.

Aunque no se pueda influir en el procedimiento, hay que buscar toda la claridad y compromiso posibles al respecto.

LA NORMALIZACIÓN DEL PROCEDIMIENTO

Si no se negocia ni se obtiene claridad en cuanto al camino a seguir, nos arriesgamos a que se nos pille desprevenidos cuando el procedimiento siga adelante. Pero no es suficiente con que *tengamos* claridad; *la otra parte* también debe tenerla. Si no la tiene, puede que seamos nosotros los que suframos las consecuencias. ¿Y cómo es eso? Si alguna vez han presenciado o participado en un procedimiento de mediación donde se diera un alto grado de hostilidad entre las partes contendientes, tal vez oyeran decir al mediador algo que es de gran importancia en la primera reunión. De una forma u otra, un buen mediador hará la siguiente advertencia nada más empezar las deliberaciones:

¿Hoy piensan que se odian mutuamente? Durante las próximas semanas vamos a trabajar conjuntamente en algunas cuestiones difíciles, y por experiencia les puedo asegurar que, a los tres días más o menos de haber comenzado este procedimiento, se van a odiar unos a otros más de lo que se han odiado en toda su vida. Y cuando eso pase, quiero que recuerden una cosa: es lo normal.

¿Por qué un mediador le diría esto a unos cónyuges, unos vecinos, unos socios empresariales u otros adversarios en litigio? Veamos qué sucede si el mediador no hace tal advertencia. A los pocos días de haberse iniciado el procedimiento, las partes empiezan a debatirse con las crecientes tensiones y la clase de emociones extremas que han estado evitando hasta el momento negándose a hablar de los problemas graves. Entonces podrían suponer que las cosas están empeorando, en lugar de mejorar, y pensar: «¡Este procedimiento no sirve de nada!» Puede incluso que decidan abandonarlo definitivamente. Pero si el mediador les ha dicho con antelación que es *normal* sentir unas emociones y una angustia extremas, y que los conflictos difíciles no se resuelven sin sufrir nuevos agravamientos por el camino, las probabilidades de que sigan con el procedimiento son mayores.

Es importante que los negociadores de todo tipo tengan en cuenta la táctica del mediador. Una de las cosas más importantes que puede hacer un negociador, sobre todo cuando probablemente el camino a seguir sea difícil o inesperado, es *normalizar el procedimiento* para las demás partes presentes en la negociación. Esto es, darles un anticipo de lo que pueden esperar —bueno y malo— en los días, semanas o años que se avecinan. Si no controlamos las expectativas de esta manera, la primera vez que algo vaya mal, se cuestionarán nuestras intenciones o capacidad o dudarán de la viabilidad del procedimiento. He visto surgir este problema en todas partes, desde los ciclos de venta mal gestionados y las conversaciones iniciales mal dirigidas entre cofundadores, hasta las negociaciones empresariales transculturales y las negociaciones entre gobiernos y rebeldes armados. En todos los casos, las negociaciones ya eran lo bastante difíciles de por sí sin necesidad de las consecuencias de una mala gestión de las expectativas. Si hemos normalizado el proceso aclarando lo que podría retrasar o interrumpir ocasionalmente el avance, qué clase de pegas son inevitables (aunque remediables) y por qué las cosas podrían desviarse del plan previsto, las reacciones de la otra parte a tales acontecimientos serán más fáciles de manejar.

Normalizar el proceso es importante no solo con los que se sientan al otro lado de la mesa, sino también con las personas interesadas de tu propia parte. Si estamos asumiendo unos riesgos calculados en aras de futuros éxitos, o invirtiendo recursos en planes que darán sus frutos más adelante, o sacrificando avances inmediatos en previsión de una victoria más completa a posteriori, es importante que informemos a las personas que están interesadas en nuestra actuación —inversores, consejo de administración, empleados, mandantes, aliados, medios de comunicación, ciudadanos, admiradores, etcétera—, no solo sobre lo que estamos haciendo y por qué, sino de *cómo va a ser* el trayecto entre donde estamos hoy y donde planeamos llegar. Incluso la estrategia más inteligente es probable que tenga detractores, pero los negociadores suelen complicarse la vida no preparando a las personas interesadas para el procedimiento que tendrán que padecer.

Hay que normalizar el proceso. Si las demás partes
saben lo que les espera, hay menos probabilidades de
que reaccionen de forma exagerada a las dudas, los
retrasos y las interrupciones, o de que magnifiquen su
importancia.

ANIMEMOS A LOS DEMÁS A QUE NORMALICEN
EL PROCEDIMIENTO PARA NOSOTROS

Tan importante como normalizar el proceso para los demás es hacer que los demás normalicen el proceso para nosotros. A ninguna de las partes le beneficia que los problemas previsibles queden sin tratar. Es menos probable que les juzguemos con severidad tras los acontecimientos adversos, si la otra parte nos ha preparado para la clase de interrupciones que son habituales cuando se negocia con personas, organizaciones, culturas o países como los suyos. Además, anticipándonos a algunos problemas potenciales, tal vez podamos ofrecer soluciones que reduzcan las probabilidades (o el daño derivado) de tales acontecimientos.

No siempre resulta fácil conseguir que la otra parte debata estos asuntos. La razón de que la gente no se muestre comunicativa sobre los problemas potenciales es que, al principio, antes de que el acuerdo se haya firmado, todo el mundo está en el modo «venta». Vendedores, solicitantes de empleo, patronos, negociadores de empresa, diplomáticos y cualquier otra persona que espere conseguir que la otra parte diga «sí» a trabajar conjuntamente, tienen el incentivo de hacer que parezca que las cosas van a salir bien. No quieren dedicar demasiado tiempo a definir todas las maneras posibles de que las cosas vayan mal, no sea que eso aniquile cualquier posibilidad de conseguir el acuerdo, en especial si los que compiten con ellos por obtenerlo tal vez no sean tan francos. Esta es la razón de que una parte de la responsabilidad de fomentar una conversación sincera sobre la clase de cosas que podrían salir mal en el proceso de negociación, recaiga en nosotros. De acuerdo con mi experiencia, cuanta mayor sea la credibilidad con que podamos garantizar a la otra parte que tenemos suficiente experiencia para saber que toda negociación prolongada y toda relación importante tiene interrupciones —y que debatir los factores de riesgo *aumenta más que disminuye nuestras probabilidades de consumar el acuerdo con ellos*—, más probabilidades hay de que tengamos una conversación fructífera que ayude a ambas partes en el futuro.

Animemos a los demás a que normalicen el proceso para nosotros, y procuremos que se sientan seguros haciéndolo.

INCLUSO LA NEGATIVA DE LA OTRA PARTE A APORTAR CLARIDAD O COMPROMETERSE ES ESCLARECEDORA

Desde luego, no existe ninguna garantía de que la otra parte vaya a responder a tu petición de claridad o de abordar los problemas potenciales que puedan surgir, pero incluso una negativa a dar respuesta a ciertas cuestiones puede ser esclarecedora. En el caso del procedimiento, si la otra parte del acuerdo o controversia no responde a las preguntas razonables sobre el proceso, esto nos permite indagar más a fondo si tal cosa es reflejo de mala intención o de falta de preparación por su parte o de que simplemente están manteniendo abiertas sus opciones. Cuando menos, podremos estar más alerta a medida que avanzamos en las negociaciones.

Pedir claridad y compromiso es útil incluso si la otra parte no está dispuesta a proporcionar ni la una ni lo otro. Es mejor saber que hay una falta de compromiso y adaptarse en consonancia que suponer indebidamente que el proceso se desarrollará conforme a lo que esperas.

MINIMIZAR LAS PROBABILIDADES DE INCUMPLIMIENTO DE LA OTRA PARTE

El otro riesgo es que tu interlocutor en las negociaciones *sí* aclare y se comprometa con un procedimiento y luego lo incumpla. No conozco muchos negociadores experimentados que no hayan pasado por esta experiencia en algún momento. Sin embargo, he descubierto que incluso en las controversias muy graves, si la gente considera valioso preservar su credibilidad, a menudo cumplirán con su palabra. Que sigan adelante con sus garantías iniciales también depende de hasta qué punto el compromiso que expresaron se hizo *personal, explícita, inequívoca y públicamente*. Las más de las veces, los compromisos incumplidos son aquellos que (a) se hicieron por persona distinta a la que ahora lo incumple, (b) se insinuaron pero nunca se declararon explícitamente, (c) se asumieron en términos un tanto ambiguos, y/o (d) se hicieron a puerta cerrada. Por esta razón, siempre que sea posible, es útil obtener compromisos que resuelvan estos aspectos. Incluso una parte relativamente bien intencionada podría sentirse tentada a incumplir si los incentivos cambian y puede justificar ante sí que no fueron los compromisos que adquirió o que la falta de unas declaraciones de intenciones explícitas le permiten cambiar de idea.

El riesgo de incumplimiento es menor cuando los compromisos son personales, explícitos, inequívocos y públicos.

HAN INCUMPLIDO: CUÁNDO Y CÓMO MARCHARSE

¿Y si, a pesar de nuestros esfuerzos, la otra parte incumple su compromiso? ¿Cómo deberíamos manejar una supuesta violación del procedimiento? Aunque a Khosla y McNealy las cosas les salieran de perlas, ¿es realmente sensato cancelar las negociaciones cuando se ha producido una vulneración del procedimiento? O más concretamente, ¿cuándo es prudente retirarse? ¿Y cómo deberíamos hacerlo?

En ocasiones, en lugar de marcharse, el movimiento más inteligente consiste en otorgar el beneficio de la duda a la otra parte, o bien intentar investigar y reconciliar las perspectivas divergentes. Podemos descubrir, por ejemplo, que la otra parte no tiene intención realmente de incumplir, o que se está enfrentando a otras presiones o limitaciones que hacen que desde su punto de vista se haga necesaria la infracción. Otras veces, la violación es intencionada, o hasta premeditada, pero queremos seguir en la mesa porque tenemos demasiado que perder marchándonos o agravando la controversia en razón a las irregularidades en el procedimiento.

Estudiemos con más detenimiento el planteamiento de Sun, a fin de identificar algunas de las consideraciones clave que deberían orientarnos cuando decidamos si aceptamos o nos enfrentamos a una supuesta violación del procedimiento. ¿Por qué sucedió aquello? Primero, desde el punto de vista de Sun, existía un alto grado de certeza en que se había alcanzado un acuerdo la semana anterior y de que el comportamiento en ese momento era inadecuado. Segundo, los negociadores de Sun se sentían muy cómodos con el valor que habían aportado a la mesa de negociaciones; no se les ocurrió que tenían que suavizar sustancialmente el acuerdo para hacer que a la otra parte le mereciera la pena. Tercero, ofrecieron un razonamiento basado en los principios para cortar las negociaciones, dejando claro que no era una cuestión de dinero en sí, sino de respeto a los compromisos del procedimiento. Por último, los negociadores de Sun no se limitaron a abandonar la mesa; aclararon las condiciones en las que estarían dispuestos a reanudar las negociaciones. Una cosa que no hicieron, y que yo les habría aconsejado, fue tratar de dar a la otra parte los medios para que volvieran a llamar y comprometerse salvando la dignidad. Es mejor no obligar a la otra parte a escoger entre aceptar nuestras exigencias o salvar el prestigio. En un caso así, incluso pueden ayudar los pequeños gestos, tales como ofrecerse a hacer una llamada telefónica de seguimiento u ofrecer una pequeña concesión sobre el estilo o la estructura que le dé a la otra parte una excusa para cambiar su postura.

Antes de romper el compromiso con el argumento de un conflicto de procedimientos, hay cinco importantes elementos que hay que considerar:

- ¿Podemos estar seguros de que hubo una infracción, o la otra parte tiene motivos para ver las cosas de otra manera?

- ¿Aportamos suficiente valor a la mesa y la otra parte lo entiende así?

- ¿Podemos justificar nuestros actos alegando principios aceptables?

- ¿Hemos aclarado qué sería necesario para reparar la infracción?

- ¿Hemos dado a la otra parte el medio de volver a la mesa salvando su dignidad?

Cuantas más respuestas afirmativas podamos dar a estas preguntas, más fácil nos resultará hacer frente con éxito a una supuesta violación del procedimiento.

Antes de abandonar a causa de una infracción del procedimiento, consideremos: (a) si la otra parte lo entiende como infracción, (b) cuánto pierde cada parte, (c) cómo justificaremos el abandono, (d) si ellos saben cómo ponerle remedio y (e) cómo pueden hacerlo sin perder la dignidad.

EL ACUERDO ABSOLUTO SOBRE EL PROCEDIMIENTO NO SIEMPRE ES POSIBLE NI DESEABLE

Esto no significa que debiéramos esperar o ni siquiera desear que el camino a seguir esté siempre perfectamente delineado. A veces, este se desconoce a causa de la falta de visibilidad al principio, y solo se puede aclarar una vez que las negociaciones sobre el fondo se han puesto en marcha. En otras ocasiones, alguien no puede o no quiere comprometerse con un procedimiento estricto porque eso limita la flexibilidad. Es importante que ambas partes muestren hacia estas consideraciones el respeto que se merecen y que se aseguren de que el deseo de precisar un procedimiento claro y rígido no retrasa innecesariamente el avance sobre el fondo. Aunque nunca debería ignorarse por completo el procedimiento. En la mayor medida posible, hay que esforzarse en garantizar que todo el mundo se mueve en la misma dirección y al mismo ritmo. Remontándose a las enseñanzas aprendidas en los primeros días de negociación en representación de Sun, Khosla recuerda:

Una de las cosas que ahora hago de manera diferente es prestar mucha más atención a dónde piensa cada parte que nos encontramos dentro del procedimiento. Si creo que hemos llegado a un acuerdo pero ellos no, nos metemos en un problema como el que vivimos en Chicago. Lo cual no significa que siempre quiera señalar todo de manera explícita lo más deprisa posible. Por ejemplo, hay ocasiones, al principio de las negociaciones, cuando también vas detrás de otras opciones, en que la estrategia adecuada tal vez sea dejar la cosas sobreentendidas o en la informalidad, o bien no intentar siquiera alcanzar un entendimiento mutuo. Pero en todos los casos, tienes que reflexionar sobre dónde está cada parte en el procedimiento.[6]

---

*Comprometerse a un procedimiento rígido no
siempre es posible ni aconsejable. Si el procedimiento
es flexible, tenemos que asegurarnos de que todas las
partes entienden el grado de compromiso existente.*

Tras considerar la importancia del procedimiento de negociación, vale la pena echar un vistazo a algunas de las razones por las que los procedimientos erróneos se afianzan. Por una parte, el procedimiento que tengamos hoy puede que no haya sido elegido, sino que sea fruto de malas decisiones que se tomaron antes de que surgiera el actual conflicto. Otras veces, incluso nuestros intentos mejor intencionados de crear el procedimiento adecuado pueden resultar contraproducentes. En el siguiente capítulo vemos cómo podríamos prever estos problemas potenciales y qué principios podrían orientarnos al enfrentarnos a ellos.

---

6. Khosla, comunicación personal, octubre de 2014.

9

MANTENER EL EMPUJE

Huelgas y cierres patronales en la NHL

● **Cuál es la diferencia** entre la negociación de un convenio colectivo (CC) de la Liga Nacional de Hockey (NHL en sus siglas en inglés) y una operación a corazón abierto? Que una es larga, dolorosa y cara y no ofrece ninguna garantía de que vayamos a solucionar el problema. La otra es un procedimiento quirúrgico consolidado.

Cuando escribo esto, han pasado más de veinte años desde que los dueños de la NHL y los jugadores consiguieran negociar un CC sin que alguna huelga o cierre patronal ocasionara ningún daño económico grave. (Una huelga es la suspensión del trabajo a iniciativa de los jugadores; un cierre patronal es cuando son los propietarios los que emprenden dicha suspensión.) A comienzos de la temporada 2012-13, los propietarios impidieron que los jugadores disputaran ningún partido hasta que no se firmara el convenio. Cuando por fin llegaron a un acuerdo, apenas cuatro meses después, casi la mitad de los partidos de la temporada habían sido cancelados. Un cierre patronal de parecida duración había ocasionado perjuicios de similar gravedad durante la negociación de la temporada 1994-95. El premio a la peor negociación en los deportes profesionales podría haberse adjudicado a la desastrosa temporada 2004-05 de la NHL. Este cierre patronal duró más de diez meses, y además de la pérdida de dos mil millones de dólares en ingresos, *ni un solo partido* de la temporada —los 1.230 al completo— se jugó debido a que las dos partes no consiguieron llegar a un acuerdo. Después de cada uno de estos cierres patronales, los medios siempre han especulado sobre quiénes ganan y quiénes pierden. Parece que ha surgido un patrón: los dueños suelen parecer los ganadores el día que se firma el contrato, pero cuando las complejas condiciones contractuales empiezan a desarrollarse a lo largo de los siguientes años, generalmente descubrimos que a los jugadores les fue muy bien.

Pero no siempre ha sido así. El litigio en 1992 fue una historia completamente distinta. Ese año la suspensión laboral duró solo diez días, desde el 1 de abril al 11 del mismo mes. Cuando las cosas se calmaron, no había ningún debate: los jugadores habían conseguido casi todo lo que habían pedido. Fue la suspensión laboral más corta y eficaz de la historia de la NHL, y puede que en la de todos los deportes profesionales. ¿Qué es lo que explica esta diferencia? ¿Por qué fue tan efímero este conflicto? ¿Por qué los jugadores ganaron tan fácilmente?

SIN RECURRIR AL DINERO NI A LA FUERZA

Los jugadores no estaban mejor organizados ni fueron más agresivos en 1992. Tampoco hicieron gala de unas habilidades especiales en la mesa de negociaciones. De hecho, el resultado casi no tuvo nada que ver con *la forma* de negociar las partes, y sí mucho con el *momento* de la negociación. La única táctica inteligente —o diabólica, dependiendo del punto de vista— que utilizaron los jugadores fue la de decidir no convocar una huelga en octubre, momento de inicio de la temporada, sino esperar al momento en que más daño le hiciera a los propietarios. La temporada dio comienzo sin que hubiera un CC vigente, pero los partidos continuaron mientras los propietarios y los jugadores negociaban. Entonces, en abril, tan pronto como terminó la temporada regular y las eliminatorias de la fase final estaban a punto de empezar, los jugadores abandonaron la mesa de negociaciones. Esto les proporcionó una ventaja enorme. En pocas palabras: los jugadores cobran su salario a lo largo de la temporada, pero los propietarios esperan obtener una cantidad desproporcionada de sus beneficios durante dichas eliminatorias. Con la fase final secuestrada, el coste de no alcanzar un acuerdo sería asimétrico; en ese momento los propietarios tenían mucho más que perder. ¿El resultado? Los jugadores obtuvieron todo lo que pidieron.

Después de acabar chamuscados en 1992, parece que los propietarios se han asegurado de que nunca más sean pillados en una posición tan vulnerable otra vez. Desde 1992, cada vez que llega el momento de negociar un convenio colectivo, los propietarios realizan un cierre patronal preventivo al inicio de la temporada.[1] Esto provoca unas pérdidas tremendas, y todo en aras de garantizar que ambas partes pierdan dinero y que los propietarios no sean los únicos en tener que hacer concesiones. Esperar a convocar una huelga antes de la fase final puede haberse antojado una táctica brillante en 1992, pero es la clase de táctica que se puede utilizar exactamente una vez. La huelga de 1992, que fue el primer paro laboral en la NHL en 75 años,[2] estableció un destructivo precedente que se mantiene inquebrantable desde entonces.

---

1. En 1993-94, las dos partes intentaron negociar un nuevo CC con el compromiso mutuo de «ni huelga, ni cierre patronal». Cuando esto no fructificó en un acuerdo, los dueños declararon el cierre patronal al principio de la siguiente temporada. Desde entonces, siempre que se pone sobre el tapete la negociación de un CC, se declara el cierre patronal.

2. Los jugadores no tuvieron ningún sindicato durante muchos de esos primeros años. La Liga Nacional de Hockey se creó en 1917; la Asociación de Jugadores no se fundó hasta 1967.

MANTENER EL EMPUJE

En los conflictos prolongados donde encontrar una solución llevará mucho tiempo —y en las relaciones donde las partes tendrán que negociar entre sí otra vez en el futuro— es necesario *mantener el empuje*. El empuje es el avance gradual y deliberado hacia la eliminación de los obstáculos y la creación de las condiciones que finalmente podrían llevar a un resultado satisfactorio. Por desgracia, como se ve en el ejemplo de la NHL, abundan las tentaciones coyunturales que crean el riesgo de sacrificar el empuje. El deseo de «ganar» hoy puede hacer difícil incluso un modesto avance mañana.

En sí mismo, no hay nada inadecuado en esforzarse por conseguir el mejor acuerdo posible para los nuestros. El problema surge cuando esa búsqueda induce a los negociadores a incumplir normas de conductas inveteradas, a interrumpir acuerdos explícitos o sobreentendidos o a legitimizar la utilización de las tácticas «que sean necesarias» en un entorno donde, en caso contrario, la cooperación y la moderación habrían podido arraigar. En vez de hacer todo lo posible por facilitar el avance, los negociadores que se dedican a semejantes conductas provocarán el ánimo de venganza y erradicarán las normas de compromiso conjunto.

Esto no solo sucede en los deportes y la política, sino también y con demasiada frecuencia en el mundo empresarial. Es fácil acordarse de negociadores que han aceptado un trato solo para incumplirlo y exigir más cuando ha aparecido una oferta mejor. En cierta ocasión, el fundador de una empresa llegó a un acuerdo con un inversor en capital riesgo, le estrechó la mano y, luego, cuando otra persona puso un poco más de dinero encima de la mesa, se retractó. El inversor se la guardó durante años y no tuvo ningún problema en airear el asunto a los cuatro vientos en un sector que es relativamente cerrado. Puedo acordarme de otros negociadores que se aprovecharon de la vulnerabilidad de la otra parte al principio de la relación, desterrando así la norma del juego limpio que de lo contrario podría haberse establecido.

Otro tanto ocurre en el mundo de la diplomacia. Uno de los principales obstáculos para la resolución del conflicto armado de Colombia, por ejemplo, surgió en la década de 1980, cuando las Fuerzas Armadas Revolucionarias de Colombia (FARC) contemplaron la posibilidad de eliminar gradualmente su brutal levantamiento armado en aras de su incorporación al proceso político. Después de unos primeros indicios de éxito electoral del partido político vinculado a las FARC (la Unión Patriótica), los grupos paramilitares y las fuerzas de seguridad vinculadas al Estado liquidaron a varios centenares de sus miembros, candidatos y funcionarios electos. Desde entonces, en todas las negociaciones, siempre que el gobierno exige la entrega de las armas por parte de las FARC antes de permitir la participación política, la organización terrorista se niega en redondo, dificultando aún más la creación de un proceso que conduzca al desarme. En términos más generales, en semejante clase de conflictos los intentos cortos de miras de llevar siempre la delantera por ambas partes negociadoras —la eliminación violenta de grupos opositores relativamente moderados (llevada a cambio por los gobiernos), los ataques terroristas oportunistas (perpetrados por los insurgentes) y las violaciones de los derechos humanos y los quebrantamientos del alto el fuego (cometidos por ambos)— tienen consecuencias a largo plazo respecto a las posibilidades de que las partes puedan volver a colaborar de manera productiva y avanzar en la consecución de la paz y, en su caso, cuándo hacerlo. Sin duda alguna, son los aguafiestas o las facciones extremistas que se oponen a una solución diplomática los que con frecuencia cometerán estos actos. Pero también, con demasiada frecuencia, son perpetrados por aquellos que *pueden* prever una paz negociada, pero que sacrifican el avance en su afán por obtener victorias y ventajas a corto plazo.

Hay que mantener el empuje. Antes de utilizar tácticas para obtener ventajas, reflexionemos: ¿cómo afectará esto a nuestra capacidad para negociar fructíferamente en el futuro?

EL LADO OSCURO DEL CONSENSO

La codicia cortoplacista no es la única razón para que los negociadores sacrifiquen ocasionalmente el empuje. Por ejemplo, en las negociaciones con múltiples partes, incluso cuando las intenciones sean benévolas, el avance puede acabar siendo bloqueado si el grupo necesita o desea el consenso. Hacer que todos se sumen a un acuerdo podría ser imposible o prohibitivamente oneroso, y es posible que acabemos sacrificando la posibilidad de un acuerdo viable por perseguir el consenso. Por ejemplo, en los conflictos deportivos, no solo hay dos partes en la negociación: los equipos de las grandes ciudades tienen diferentes inquietudes que los de las ciudades pequeñas; los equipos rentables tienen distintos intereses que los equipos deficitarios; los novatos tienen intereses que nada tienen que ver con los de los jugadores consagrados; y las estrellas poseen intereses que se alejan de los que tienen los jugadores del montón. ¿Cómo se puede garantizar que todos queden satisfechos con el resultado? En la negociación de las alianzas empresariales, habrá personas del otro lado que valoren sobremanera lo que pongamos sobre la mesa, pero también aquellas que lo valoren poco, nada o incluso de manera negativa. ¿Qué probabilidades tenemos de consumar un acuerdo si alguien puede bloquear la alianza? O cuando una familia trata de organizar una gran reunión, o una pareja intenta planear su boda, puede haber muchas personas que tengan o quieran tener voz y voto en los asuntos. Merece la pena estudiar detenidamente si es aconsejable dar a todo el mundo el derecho a veto.

El consenso, de eso no hay duda, tiene sus virtudes. Hay algo muy atractivo en contar con el apoyo unánime en un acuerdo o una decisión. Pero cuantas más personas tengan derecho a veto, menos grados de libertad tenemos para estructurar un acuerdo satisfactorio, porque hay demasiadas exigencias para unos recursos disponibles que son limitados. La necesidad de subir a todo el mundo al carro da pie a una situación en la que cualquier cosa que no esté pactada de antemano está sujeta a todo tipo de componendas, y el acuerdo resultante es probable que sea estratégicamente estrecho de miras; esto es, que esté pensado para resolver los problemas actuales a costa de ignorar o exacerbar los problemas futuros. Recordemos que este fue exactamente el problema con los Artículos de la Confederación. El consenso también estimula la «toma de rehenes», como cuando alguien sabe que el suyo es el voto definitivo necesario y se hace de rogar para obtener concesiones superlativas.

Los acuerdos por consenso pueden tener poca visión de futuro. A medida que el número de partes con derecho a veto aumenta, el grado de libertad para estructurar los acuerdos disminuye.

EL PRINCIPIO DEL CONSENSO SUFICIENTE

Dado que la búsqueda del consenso puede socavar el avance e interrumpir el empuje en las grandes negociaciones con múltiples partes, los negociadores y los diplomáticos intentarán a menudo adoptar el principio del *consenso suficiente*. En vez de exigir que todos los que se sientan a la mesa voten a favor de cada propuesta, las partes acuerdan que las negociaciones puedan avanzar siempre que haya un nivel «suficientemente alto» de aceptación entre y en el seno de las partes (por ejemplo, el 80 por ciento de las partes deben estar a favor de la condición, y el 60 por ciento de los individuos han de estar de acuerdo). Vemos que tales planteamientos se adoptan por doquier, desde los acuerdos internacionales sobre el clima a la aprobación de las constituciones nacionales y los procesos de paz. Para evitar dar a una o a unas pocas partes la facultad de hacer descarrilar el proceso o de sabotear el acuerdo definitivo, hay que rebajar la exigencia en cuanto al avance y la ratificación. Un planteamiento así puede parecer lógico en los contextos empresariales. El consenso puede ser necesario y viable en determinadas circunstancias, pero cuando la conflictividad es elevada, los líderes que dejan claro que quieren participación y respaldo, pero que no exigen unanimidad, tienen más probabilidades de poder poner en práctica las ideas y evitar una perniciosa inactividad.

En los acuerdos complejos y los conflictos prolongados, sobre todo si preocupa la toma de rehenes, el planteamiento del consenso suficiente tal vez sea más adecuado que buscar la unanimidad.

BAJAR EL LISTÓN DEL AVANCE, SUBIR EL LISTÓN DEL ACUERDO

¿Y si por las razones que sean el acuerdo definitivo *tiene que* ser aceptado por todas las partes? Todavía podremos salvaguardar el empuje utilizando un procedimiento de consenso suficiente para todas las deliberaciones que precedan al acuerdo definitivo. En otras palabras, cuando se esté negociando una cuestión intermedia, o durante la elaboración de cualquier estipulación individual de lo que finalmente será un acuerdo definitivo, el respaldo «suficiente» en la mesa basta para impulsar las negociaciones; al final de estas, la totalidad de las partes todavía pueden votar a favor o en contra del acuerdo global definitivo que se alcance. A menudo, cuando la negociación se lleva a cabo en un ambiente conflictivo, aconsejo lo siguiente: *mantengamos bajo el listón del avance, pero alto el del acuerdo definitivo.* Tal cosa preserva el empuje, porque recuerda a las personas que, aunque cada uno de los que están sentados a la mesa es probable que encuentre discutibles, cuando no detestables, determinados aspectos del acuerdo, estos no deberían constituir un problema grave; en estos casos, tal vez sea aconsejable proseguir con la negociación para ver si el acuerdo definitivo sigue siendo preferible a no alcanzar ninguno.

Mantengamos bajo el listón para el avance en los elementos individuales del acuerdo, pero alto para la aprobación o ratificación del acuerdo global definitivo.

NADA ESTÁ ACORDADO HASTA QUE TODO ESTÉ ACORDADO

Antes hemos hablado de la ventaja de negociar varios asuntos simultáneamente en lugar de negociarlos de uno en uno. Cuando la confianza es limitada, esto permite que ambas partes se aseguren de que lo que están concediendo en un área está siendo correspondido en otra. Pero, sobre todo en las negociaciones complejas, no siempre es posible abordar al mismo tiempo todos los asuntos importantes. Por ejemplo, en los procesos de paz, las diferentes cuestiones (desarme, reformas económicas, participación política, entre otras) pueden ser abordadas con meses de diferencia; en los grande acuerdos internacionales, tal vez existan distintas vías para discutir los variados asuntos. Incluso en las negociaciones empresariales suele ocurrir que los diversos elementos del acuerdo tengan que ser negociados por personas distintas en momentos distintos. Una de las inquietudes que los negociadores plantearán en tales situaciones es la del excesivo riesgo de hacer concesiones o incluso mostrarse flexible en un área, cuando no se sabe en qué resultarán otros aspectos del acuerdo. Esta manera de pensar puede detener el avance. Una solución parcial a este problema es la de que todas las partes acuerden adoptar explícitamente el principio de que «nada está acordado hasta que todo esté acordado». Consecuentemente, todas las partes aceptan que nada de lo que haya dicho, insinuado o propuesto alguna de ellas es irrevocable hasta que se haya alcanzado un acuerdo pleno. Esto confiere mayor libertad a la gente para intercambiar diferentes soluciones y experimentar con ser más conciliadora sobre las distintas partes del acuerdo, porque sabe que su derecho a retractarse de cualquier propuesta parcial o concesión individual está protegido «hasta que todo esté acordado».

El principio de que «nada está acordado hasta que todo esté acordado» puede contribuir a superar la paralización, al permitir que la gente haga concesiones de manera segura.

EL COSTE DE LA TRANSPARENCIA DURANTE EL PROCESO DE NEGOCIACIÓN

Una lógica similar entra en juego cuando los negociadores y diplomáticos deciden negociar a puerta cerrada, permitiendo una transparencia mínima en las deliberaciones. Al igual que con el consenso, la transparencia es beneficiosa por muchas razones, pero en el caso de las conversaciones sumamente difíciles, la transparencia *durante el proceso de negociación* suele ser más perjudicial que provechosa. A los negociadores ya les resulta bastante difícil mostrar que están dispuestos a ceder cuando las deliberaciones son privadas. Si cada declaración, concesión o propuesta se va a hacer pública antes de que exista la garantía de que es posible un acuerdo definitivo, los negociadores estarán sometidos a una presión tan tremenda que no dirán nada que pueda ser interpretado como debilidad o traición. Cuando se negocia lo aparentemente imposible, esta es una presión añadida que uno no se puede permitir. Y frenará el avance.

En vez de eso, generalmente debemos dar a los negociadores la mayor privacidad posible durante la fase de negociación, y luego hacer público el acuerdo definitivo para que las personas interesadas tengan la oportunidad de decidir si lo respaldan o no. Este punto fue definitivo durante las negociaciones que llevaron a la elaboración de la Constitución de los Estados Unidos. Idéntico planteamiento —esforzarse en reducir al máximo la cobertura de los medios de comunicación y las filtraciones— se buscó en las negociaciones que condujeron al acuerdo de paz en Irlanda del Norte, y durante las negociaciones del convenio colectivo de la NFL y la NHL. Y esa es también la razón de que las fases iniciales de las negociaciones entre los gobiernos y los grupos armados se mantengan habitualmente en secreto, hasta que haya suficiente empuje para permitir que cada parte admita que ha estado negociando. Los procesos de paz nunca se anuncian el primer día; casi siempre hay una actividad extraoficial que contribuye a establecer las bases de las conversaciones. Las probabilidades de que estas fracasen son especialmente elevadas al principio, lo que hace arriesgado para los gobiernos y los insurgentes comunicar a sus seguidores que están intentando encontrar una solución diplomática al conflicto. Solo cuando haya pruebas que sugieran que ambas partes están interesadas y son capaces de buscar un acuerdo negociado, una y otra soportarán el coste de anunciar las negociaciones.

Aunque es fácil comprender por qué las personas interesadas exigen absoluta transparencia a lo largo del proceso, tal cosa es desaconsejable si estamos tratando de negociar poner fin a conflictos duraderos. Eso sí, el procedimiento debería garantizar que en última instancia sean los mandantes los que decidan si hay que aceptar un acuerdo definitivo. Pero, al mismo tiempo, debería concederse a los negociadores todo el margen que necesiten para estructurar el mejor acuerdo que puedan sellar.

La transparencia durante el proceso de negociación puede frenar el avance. Demos a los negociadores la intimidad que necesitan para estructurar el acuerdo; otorguemos a los mandantes el derecho a decidir si el acuerdo es aceptable.

El principio del empuje es un recordatorio de que una manera de juzgar la sensatez de nuestras tácticas y elecciones de procedimiento es hacerlo desde el punto de vista de su probable impacto en nuestra capacidad para avanzar en los días, meses y años venideros. Como hemos visto, los negociadores podrían sacrificar los avances si están demasiado centrados en resolver los problemas inminentes o en obtener beneficios a corto plazo. Pero el avance en la negociación *en curso* no es la única víctima potencial del cortoplacismo. Un planteamiento estrecho de miras de la negociación, por más que se llegue a un acuerdo, puede exacerbar las probabilidades de un conflicto futuro o disminuir nuestra capacidad para resolverlo.

De qué manera nuestra conducta de hoy afectará a nuestra capacidad para negociar las controversias futuras es una pregunta que suele ignorarse con demasiada frecuencia, quizá debido a que nuestros recursos limitados (por ejemplo, tiempo, atención, influencia) nos tientan a centrarnos de manera miope en las exigencias del acuerdo actual. Pero la historia demuestra con bastante claridad —no solo en los deportes, sino en las relaciones personales, los negocios, las relaciones internacionales y en otros ámbitos— que las controversias de hoy son a menudo consecuencia de nuestra manera de dirigir y concluir las negociaciones pretéritas. Esto es algo que los negociadores eficaces tienen siempre presente. Como se ilustra en el siguiente capítulo, incluso en los conflictos aparentemente intratables, es importante y posible establecer un plan mejor para conseguir un futuro compromiso.

10

PERMANECER EN LA MESA

El establecimiento de la paz desde Viena a París

La Primera Guerra Mundial (1914-1919) ha sido calificada como «la guerra que puso fin a todas las guerras». En realidad, habría estado mejor descrita como la «guerra que olvidó todas las guerras». Si analizamos las catastróficas decisiones que condujeron al estallido de la guerra o la estructura de los imperfectos tratados de paz que vinieron después, descubrimos las trágicas consecuencias de los recuerdos perdidos y las enseñanzas olvidadas con demasiada facilidad. Mucho se ha hablado de los errores cometidos en las negociaciones de París al terminar la Primera Guerra Mundial, sobre todo en relación a la probable y trascendental influencia que la manera de tratar a la derrotada Alemania ejerció en el camino seguido por esta respecto a la instigación de la Segunda Guerra Mundial. Huelga decir que estamos sentados en la privilegiada situación del futuro, haciendo tales juicios con la claridad que da el hacerlos a posteriori. Sin duda, si los vencedores hubieran tenido la posibilidad de saber más, habrían negociado un tratado distinto. Por desgracia, no sabían más... y eso no fue de ninguna ayuda.

Los cien años de historia previos a la Primera Guerra Mundial fueron especialmente destacados por la relativa ausencia de conflictos en el continente europeo. Los hubo, desde luego, pero ninguno se intensificó hasta el punto de las guerras multilaterales duraderas con cantidades ingentes de bajas. Al menos en parte, el mérito de esto se debió a las negociaciones que pusieron fin al gran conflicto bélico anterior. Las Guerras Napoleónicas habían acabado en 1814, y las naciones vencedoras, Gran Bretaña, Rusia, Prusia y Austria, se reunieron en Viena para decidir el destino de la derrotada Francia.[1] De forma muy similar, 105 años más tarde, Gran Bretaña, Francia, Italia y los Estados Unidos se reunieron en París para decidir el destino de Alemania. En cada uno de estos casos, el país derrotado fue considerado responsable de la destrucción ocasionada por la guerra; en cada uno de los casos, la mayor parte de las negociaciones tuvieron lugar en un único lado de la mesa: las condiciones de paz fueron decididas en su mayor parte por los vencedores e impuestas al país vencido con poco margen para seguir negociando. Sin embargo, en al menos un aspecto crucial, los resultados de esas dos negociaciones no podían haber sido más dispares.

¿Cómo pudieron los combatientes de 1814 evitar la clase de convulsiones que los pacificadores de 1919 parecen haber fomentado? ¿Cómo se impide el resurgimiento de las fechorías y recelos que acaban de conducir a una guerra devastadora?

SIN RECURRIR AL DINERO NI A LA FUERZA

El Congreso de Viena (y el tratado firmado anteriormente ese año en París) había obligado a Francia a entregar los territorios que había conquistado en los últimos años, pero se le permitió volver a sus amplias fronteras de 1789. Aunque debidamente considerada la agresora, inicialmente no se exigió a Francia que pagara las reparaciones de guerra, por miedo a que tal carga debilitara tanto al país que la circunstancia tentara a la beligerancia, bien bajo la forma de

---

1. Obviamente, estaban presentes muchos otros países.

una futura agresión francesa, bien por la conquista de una Francia debilitada a manos de otros países. Esta política cambió cuando Napoleón reanudó la guerra después de huir del exilio en 1815. Tras la segunda derrota, Francia fue obligada a pagar las indemnizaciones, lo cual hizo en su totalidad.[2] Y lo que es más importante, en 1818, después de que se hubiera enmendado, Francia fue invitada a unirse a la comunidad internacional en lo que llegó a conocerse como el Concierto de Europa. Las conferencias multilaterales del Concierto de Europa fueron lo más próximo a unas Naciones Unidas o una Unión Europea que el continente vería hasta el siguiente siglo.[3] A pesar de haber sido los responsables de la guerra, a los franceses se les concedió un lugar en la mesa.

Por el contrario, un siglo más tarde, al finalizar la Primera Guerra Mundial, los aliados no trataron a Alemania con tanta sagacidad. Paradójica aunque no sorprendentemente, dada la desconfianza y animosidad que había ido aumentando gradualmente desde al menos la Guerra franco-prusiana de 1870, fueron los franceses los que encabezaron el ataque contra Alemania durante las negociaciones de paz.[4] Cuando el humo se hubo disipado, además de aceptar las importantes restricciones sobre su ejército, Alemania tuvo que renunciar aproximadamente al 13 por ciento de su territorio, al 10 por ciento de su población y a todas sus colonias fuera de Europa.

---

2. White, Eugene, «The Costs and Consequences of the Napoleonic Reparations», *National Bureau of Economic Research*, documento de trabajo n.º 7438, diciembre de 1999. doi: 10.3386/w7438.

3. El Concierto de Europa fue fruto de la cuádruple alianza, por la que Gran Bretaña, Rusia, Austria y Prusia acordaron trabajar conjuntamente para mantener el equilibrio de poder en Europa y hacer cumplir la paz que se había negociado en Viena. Francia se unió a este grupo al cabo de unos pocos años, y Gran Bretaña lo acabó abandonando definitivamente.

4. Entre los aliados, Francia también representó el mayor número de muertos de guerra. Entre todos los países, solo Alemania sufrió más muertes.

El espíritu del tratado se puede entender mejor en otras dos cláusulas. La primera, el artículo 231 (también conocido como la «cláusula de culpabilidad por la guerra»), exigía a los alemanes que «aceptaran la responsabilidad de Alemania y sus aliados por causar todas las pérdidas y daños». Como tal causante, se esperaba que Alemania pagara unas indemnizaciones de más o menos medio billón de dólares (en dólares actuales), una cantidad mucho más elevada que la que se le había exigido pagar a Francia en 1815, que se calculó como un porcentaje del PIB. Pero fue la segunda decisión la que probablemente tuviera más consecuencias simbólicas y sustanciales: la negativa a que Alemania se uniera a la Liga de Naciones, el antecedente de las Naciones Unidas.

Donde quizá mejor quedó reflejado el punto de vista alemán sobre la oferta de lo tomas o te invadimos fue en las palabras del ministro de Asuntos Exteriores Brockdorff-Rantzaus, que resumió el tratado de la siguiente manera: «Alemania renuncia a su existencia».[5]

LA CREACIÓN DE UN PROCEDIMIENTO QUE RESUELVA LA CONFLICTIVIDAD RESIDUAL

Si bien se ha debatido mucho sobre si los alemanes podían haberse permitido pagar las reparaciones que se les exigían —y es muy posible que lo hubieran logrado—, la realidad es que tales exigencias sembraron las semillas del futuro conflicto. Sin embargo, como podemos ver en el caso de Francia tras las Guerras Napoleónicas, incluso la imposición de unas reparaciones sustanciosas no es una condición *suficiente* para el estallido del futuro conflicto. Las indemnizaciones y demás medidas punitivas pueden incrementar las

---

5. MacMillan, Margaret, *Paris 1919: Six Months That Changed the World*, Random House, Nueva York, 2002, p. 465.

probabilidades de un conflicto, aunque si se han establecido estructuras y vías para gestionar pacíficamente los conflictos latentes o residuales, se pueden evitar las guerras en el futuro. Un error potencialmente mayor en relación con Alemania no fueron las reparaciones, sino el aislamiento: el desenlace alimentaba el conflicto *al mismo tiempo que limitaba la posibilidad de gestionarlo*. Ciertamente, es el aislamiento del enemigo, en mucha mayor medida que la exigencia de las indemnizaciones, lo que distingue las negociaciones de paz de Viena de las de París.

Los delegados más influyentes del Congreso de Viena de 1814 compartían la creencia de que era imperioso mirar hacia el futuro. Los estadistas reunidos en la capital austríaca parecían más preocupados por prevenir las guerras en el futuro que en castigar a los supuestos responsables de las pretéritas. Así las cosas, su actuación iba encaminada a garantizar la paz en nombre de las generaciones futuras, y no simplemente a exigir venganza en representación de las víctimas del momento. Y, en particular, al incluir a Francia en la comunidad de naciones y crear un sistema en el que el equilibrio de poder no se inclinaría exageradamente en contra de los vencedores *ni en contra de los vencidos*, los europeos se garantizaron una paz relativamente duradera. Cosa que no sucedió en 1919.

La mayoría de las negociaciones, incluso las que tienen éxito, dejan tras de sí algún conflicto residual. Hay que establecer las vías y los procedimientos para gestionar los recrudecimientos y la conflictividad latente.

PERMANECER EN LA MESA

El problema de no invertir lo suficiente en un compromiso constante es algo que se da en todo tipo de conflictos. Cuando unas conversaciones de paz se hacen añicos, y sobre todo si los conflictos armados se recrudecen de resultas de ello, existe la tendencia a interrumpir todas las comunicaciones o negociaciones, en vez de mantener las vías abiertas para facilitar un futuro intento de establecer la paz. Entonces, incluso cuando surjan futuras oportunidades para llegar a un acuerdo, se da una debilitante ausencia de información y entendimiento; la falta de inversión en mantener las relaciones hace que los acuerdos subsiguientes sean mucho más difíciles de alcanzar.

En los deportes, al menos históricamente, ha existido la tendencia entre algunos negociadores de relacionarse solo cuando aparece en el horizonte un nuevo convenio colectivo, en lugar de haber fomentado la confianza durante los años intermedios. Del mismo modo, las recientes negociaciones nucleares entre los Estados Unidos e Irán se vieron entorpecidas en no pequeña medida por la ausencia de relaciones durante los decenios previos. Algunos vendedores, asimismo, se desentienden de los clientes una vez que está firmado el acuerdo (o cuando fracasa), y vuelven a entablar contacto solo cuando llega el momento de pujar por el siguiente acuerdo.

Una estrategia más inteligente en todos y cada uno de los casos es la de *permanecer sentados a la mesa*, al menos figuradamente, cuando no físicamente, aunque no exista una perspectiva tangible de llegar a un acuerdo o de ganar dinero. Sobre todo en el período que sigue a unas negociaciones «fallidas», la inclinación natural es la de que la relación se deteriore, la confianza disminuya y los puntos de vistas se alejen. El compromiso constante es un elemento esencial para mantener incólumes las relaciones, controlar los intereses y limitaciones potencialmente cambiantes de todas las partes y analizar la posibilidad de reanudar las negociaciones. Asimismo, suele ser más fácil conseguir información y fomentar la confianza cuando no se están llevando a cabo negociaciones sobre el fondo, porque produce menos inquietud la posibilidad de que compartir la información vaya a dar ventaja a la otra parte en un acuerdo. Mi consejo a los negociadores es que mantengan el diálogo con independencia del resultado; tal vez llegue el momento en que se pueda mejorar el acuerdo que se alcanzó o darle la vuelta a aquel otro que no se cerró.

> *Permanecer sentado a la mesa, sobre todo después de las negociaciones fallidas, permite conservar las relaciones, entender la perspectiva de la otra parte y buscar la oportunidad de reanudar el compromiso.*

SI NO ESTÁS EN LA MESA, ENTONCES ESTÁS EN EL MENÚ

En el caso de la Primera Guerra Mundial, no es que los problemas potenciales con el tratado de paz no hubieran sido previstos en absoluto. Los delegados de muchos países manifestaron abiertamente su preocupación de que hubieran sembrado las semillas de una futura guerra. La excepción destacada fue Francia, donde algunos fueron de la opinión de que las condiciones eran demasiado indulgentes. Un funcionario británico del momento, Earl Wavell, describió lo ocurrido en 1919 con un toque tenebrosamente poético: «Después de la "guerra que acaba con toda las guerras", parece que en París han tenido bastante éxito en acordar la "paz que acaba con todas las paces"».[6] ¿Por qué, a pesar de tales recelos, dieron al tratado la forma que le dieron?

Una buena causa fue la de haber excluido casi por completo a los alemanes de las negociaciones. En 1814, por el contrario, a los franceses se les había otorgado un sitio en la mesa casi desde el

---

6. Fromkin, David, *A Peace to End All Peace: the fall of the Ottoman Empire and the Creation of the Modern Middle East*, Macmillan, 1989.

principio —en no poca medida gracias a algunas brillantes maniobras del diplomático francés (Talleyrand)—, bien que con menos
voz que los demás países. Debido a la falta de la perspectiva alema-
na durante las negociaciones de 1919 (mientras se redactaba el
tratado), se implantó una dinámica exageradamente hostil contra
los germanos durante demasiado tiempo; sencillamente no había
ninguna fuerza opuesta que equilibrara las exigencias francesas.

No debe sorprender que aquellos que ocupan un lugar en la mesa
de negociaciones, a veces vayan a ignorar o incluso a sacar provecho de los intereses de los que no están representados. De hecho,
existe un dicho que circula en los ambientes diplomáticos y políticos que va directamente al grano: *Si no estás en la mesa, entonces
estás en el menú.* En este caso, los alemanes fueron el aperitivo, el
primer plato y el postre.

Lo mismo es aplicable a todo tipo de negociaciones. Pensemos
por ejemplo en lo que sucede habitualmente en las negociaciones
de los convenios colectivos en los deportes de Estados Unidos. Después de pasar meses resistiéndose tozudamente a cualquier llamamiento a hacer alguna concesión sobre el fondo, las dos partes
empiezan por fin a alejarse de sus posiciones iniciales. ¿Qué concesiones creen que harán en primer lugar? No hay que saber nada
sobre deportes o ni siquiera sobre qué deporte se está tratando
para poder predecir con notable exactitud que una de las primeras
concesiones importantes que harán los jugadores va a estar relacionada con los salarios y contratos de los novatos. ¿Por qué son habitualmente los intereses de los novatos —los nuevos jugadores
que acaban de acceder a la liga— el primer sacrificio que se hace en
el altar del convenio colectivo? Pues porque no están representados
en la mesa.

Si no estás en la mesa, entonces estás en el menú.

NEGOCIAR SIN TENER UN SITIO EN LA MESA

Los negociadores inteligentes hacen cuanto está en sus manos para conseguir un sitio en la mesa. Si eso no es posible, existen otras maneras de influir en lo que sucede en una negociación. En las negociaciones de la NFL de 2011, por ejemplo, los jugadores retirados no tenían derecho a voto, pero consiguieron influir en la Asociación de Jugadores y en la liga utilizando una campaña mediática constante sobre sus problemas de salud. En términos más generales, si no tenemos un papel formal ni forma de presionar sobre las negociaciones de fondo, tal vez podamos influir en los que sí tienen el control. La influencia de uno en tales situaciones depende de la propia capacidad para ayudarles desde fuera. Por ejemplo, los que negocian tal vez tengan intereses al margen del acuerdo en curso que nosotros podemos respaldar, a cambio de su apoyo en las negociaciones actuales. O puede que necesiten nuestra ayuda para vender el acuerdo en marcha, como fue el caso de los jugadores retirados. Si los que se sientan a la mesa valoran nuestro respaldo o temen nuestra oposición durante la negociación (o cuando llegue el momento de ratificar o vender el acuerdo), tenemos capacidad de influir.

Si no tenemos un sitio en la mesa, quizá podamos influir en los negociadores creando valor al margen del acuerdo u ofreciendo ayuda para vender o implantar el acuerdo actual.

LA INVERSIÓN INSUFICIENTE EN EL PROCEDIMIENTO DURANTE LOS TIEMPOS DE PAZ

En su libro *Diplomacia*, Henry Kissinger sugiere una segunda causa para que las negociaciones de paz de 1814 y 1919 adoptaran formas diferentes.[7] En 1814, el recuerdo de las guerras pretéritas estaba muy vivo. Durante los siglos inmediatamente anteriores, los europeos solo habían pasado unos pocos años sin asistir al estallido de una guerra entre las grandes potencias del continente. La perspectiva de unos conflictos constantes y agravados se consideraba real, incluso segura, a menos que se hiciera un gran esfuerzo para evitarlos. En 1919, por el contrario, la Gran Guerra (la Primera Guerra Mundial) se veía más como un accidente o una anomalía que como la norma. Parecía exigir más una explicación (*¿Cómo sucedió?*) que un esfuerzo (*¿Cómo evitarla en el futuro?*). Lo que los negociadores no valoraron en toda su extensión fue que el largo período de paz que concluyó con la Primera Guerra Mundial había sido fruto de un cuidadoso «desarrollo del sistema» y no una consecuencia inevitable del empeño de la historia por el entendimiento.

Este es un problema demasiado extendido en los acuerdos negociados en el seno de unas relaciones duraderas. Cuando el contexto de un acuerdo se olvida y los recuerdos se han perdido, las generaciones futuras de negociadores tienen dificultades para comprender la lógica que anida en el acuerdo original y la razón de que quizá fuera coherente conservarla. En su lugar, el acuerdo empieza a parecer imperfecto o inadecuado y carente ya de importancia. Según el doctor Kissinger, esto explica por qué los británicos, después de unas décadas de paz tras el congreso de Viena, empezaran a abandonar su papel de garantes del equilibro de poder en Europa; asimismo, explica la razón de que los austriacos, dos generaciones después del Congreso de Viena, empezaran a poner en peligro el sistema de alianzas del que dependía su supervivencia para perseguir ventajas y tentaciones a corto plazo; y explica, por último, por qué los alemanes, que tenían a la sazón un poder consolidado, cambiaran su tratado con los rusos para cortejar a los británicos. En todos los casos, los

---

7. Kissinger, Henry, *Diplomacia*, Ediciones B, Barcelona, 2010.

estadistas no vieron que habían *comprado* la paz pagando lo que, en ausencia de la guerra, se antojaba un precio innecesario. Por ejemplo, los británicos vieron la paz y les pareció que su inversión en Europa era innecesaria, en lugar de ver la paz como una consecuencia de su inversión. De igual manera, austriacos y alemanes no valoraron que las libertades de las que disfrutaban estaban enraizadas en las alianzas que en ese momento se disponían a desperdiciar.

Traslademos todo esto a un entorno empresarial. Imaginemos a un nuevo director general que entra en la oficina y descubre que en los últimos diez años no ha habido ninguna controversia legal, y por consiguiente decide que ya no hay ningún motivo para invertir en un equipo jurídico o en redactar cuidadosamente los contratos con los vendedores y clientes. O, ya en el mundo de los deportes, imaginemos a un equipo de fútbol que, viendo que el otro equipo no ha marcado ni un solo gol en la primera parte del partido, decide quitar al portero en la segunda. Tales decisiones serían inimaginables. Por desgracia, en los entornos conflictivos, a menudo la gente toma decisiones parecidas.

Cuando el «éxito» no se valora desde el punto de vista de una «ganancia» mensurable, sino por el mantenimiento de un statu quo positivo (por ejemplo, la paz, la cooperación permanente, etcétera), la relación de causalidad entre el esfuerzo y el éxito puede pasar desapercibida; esto es, sin un examen detenido, no es evidente lo que hace que las cosas marchen por el camino adecuado. Y si las políticas pensadas para promover la cooperación son costosas —económica, política y burocráticamente—, existe la tentación de dejar de invertir en ellas. Entonces se produce la entropía: ante la falta de una inversión deliberada, las relaciones, las instituciones y los esfuerzos conjuntos se pueden deteriorar con suma facilidad.

Las empresas parecen no invertir lo suficiente en fortalecer las relaciones con las personas interesadas cuando los tiempos son buenos, y solo descubren que andan escasos de fondo de comercio cuando surge el conflicto. En la esfera del conflicto armado, el inicio de un levantamiento suele ir precedido de la marginación política y las injusticias judiciales cometidas por un grupo dominante que parece dar por hecho la situación de paz. En un contexto completamente diferente, el mismo principio podría servir para explicar la razón de que en los Estados Unidos algunas personas hayan sido seducidas en los últimos años por la llamada moda de la antivacunación. Una vez que una enfermedad como el sarampión es en buena medida erradicada y las personas ya no tienen la experiencia de los males que acarrea, es fácil menospreciar las mismas vacunas que eliminaron la enfermedad y proporcionaron la tranquilidad desde la que los que reniegan de ella emprenden sus ataques. En cada uno de estos casos, el problema no es el desinterés en invertir en los factores que mantienen la paz, ni lo es la infravaloración de la propia paz, sino la incapacidad para ver que lo uno conduce a lo otro.

Existe la tendencia, sobre todo en tiempo de paz, de no invertir lo suficiente en los procesos que pueden contribuir a mantener las relaciones ni en las instituciones que pueden ayudar a mantener la paz.

Como ocurre con los preparativos, existe una amplia disparidad en cuanto a la atención que los negociadores conceden al procedimiento. Algunos lo ignoran por completo; otro crean estrategias para el procedimiento y lo negocian con una anticipación increíble. Aunque hemos visto la importancia que tiene su negociación, esto no quiere decir que no corramos el riesgo de exagerarlo. Como ilustra el próximo capítulo, es posible dar una importancia excesiva al procedimiento. Cuando este adquiere demasiada relevancia y se sobrecarga de significado o simbolismo, puede perjudicar gravemente las posibilidades de que avancemos en lo esencial.

11
LOS LÍMITES
DEL PROCEDIMIENTO

El intento de poner fin a la Guerra de Vietnam

La Guerra de Vietnam (1955-1975) fue librada aparentemente por Vietnam del Norte y Vietnam del Sur, pero a menudo es considerada como una guerra por poderes entre la Unión Soviética y los Estados Unidos. Este último país y sus aliados apoyaban al gobierno survietnamita, con sede en Saigón. Los soviéticos, junto con otros estados comunistas, apoyaban a los norvietnamitas y al Frente de Liberación Nacional (FLN, también conocido como Vietcong), una guerrilla comunista fuertemente armada que actuaba en el Sur. Aunque la implicación norteamericana en Vietnam se remonta a principios de la década de 1950, el momento crucial para el aumento de su intervención militar se produce en agosto de 1964. Fue entonces cuando tuvieron lugar los infaustos incidentes del «golfo de Tonkin». La Marina estadounidense informó de sendos ataques, ocurridos en dos momentos distintos, perpetrados por los norvietnamitas, lo que proporcionó al presidente Johnson la justificación para pedir al Congreso que autorizase una mayor campaña militar contra el Norte.

Aún hoy se sigue discutiendo si, al intentar evitar que Vietnam se «convirtiera en comunista», estaban en juego los legítimos intereses nacionales de los Estados Unidos; pero sobre lo que no hay ninguna discusión es sobre la manera censurable en que se recabó el respaldo del Congreso. Resulta que, en el primer incidente del golfo de Tonkin, fueron los Estados Unidos los que iniciaron el ataque, no los norvietnamitas. Y en cuanto al segundo incidente... jamás tuvo lugar.[1] El presidente Johnson y su administración eran conscientes de las graves dudas que rodeaban a los supuestos ataques, aunque tal cosa nunca se admitió ni se informó de ella al Congreso. La Resolución del golfo de Tonkin fue aprobada por una abrumadora mayoría y allanó el camino para lo que ya es ampliamente considerada una escalada desastrosa. Más de 58.000 norteamericanos murieron, y, si bien las estimaciones varían, también más de otro millón de personas.

En 1968 ya era una evidencia que la victoria militar norteamericana en Vietnam era improbable, sobre todo teniendo en cuenta la fuerte oposición a la guerra entre el pueblo estadounidense. El año empezó con la Ofensiva del Tet, una descomunal campaña militar urbana en la que el ejército norvietnamita y sus aliados del FLN atacaron docenas de ciudades del Sur. Aunque la respuesta de Estados Unidos y los survietnamitas a la Ofensiva del Tet fuera probablemente un éxito, se logró a un coste elevadísimo: enormes bajas y el desencanto masivo con la campaña bélica. Quizá por eso no sorprende que 1968 fuera también el año en que se iniciaron las negociaciones de paz.

La paz no sería fácil de conseguir. Uno de los primeros escollos fue una moratoria de cinco meses, de mayo a octubre de 1968, durante la cual los norvietnamitas se negaron a sentarse a la mesa de negociaciones hasta que el presidente Johnson no dejara de bombardear Vietnam del Norte. Al final, los ataques

---

1. Hanyok, Robert J., «(U) Skunks, Bogies, Silent Hounds, and the Flying Fish: The Gulf of Tonkin Mystery, 2-4 august 1964», *Cryptologic Quarterly*, https://www.nsa. gov/pulic_info/_files/gulf_of_tonkin/articles/rel1_skunks_bogies.pdf. Consultado el 25 de junio de 2015.

aéreos se detuvieron, dando paso al inicio de las negociaciones de fondo... o eso es lo que los potenciales pacificadores quizá hubieran esperado. Negociar las condiciones con arreglo a las cuales las partes se sentarán a la mesa de negociaciones es un problema bastante habitual. Pero ¿qué hacemos cuando las partes están listas para sentarse a la mesa, pero ni siquiera son capaces de ponerse de acuerdo en la forma de la mesa? En este asunto, denominado eufemísticamente en los cables diplomáticos como «la cuestión de procedimiento», las partes llegaron a un callejón sin salida.

UNA INSANA OBSESIÓN CON EL PROCEDIMIENTO

El problema surgió a principios de diciembre. Los norvietnamitas querían que las partes implicadas en el conflicto se sentaran a una mesa cuadrada, cada una con sus banderas respectivas: Vietnam del Norte, el FLN, Vietnam del Sur y los Estados Unidos de América. Los survietamitas, por su parte, querían sendas mesas rectangulares puestas una enfrente de la otra, una para cada uno de los lados del conflicto porque, desde su punto de vista, solo había dos partes, el Norte y el Sur. Y lo que era más importante, el Sur no estaba dispuesto a aceptar al FLN como parte legítima del conflicto. Lo que siguió podría describirse como la inversión en ingenio diplomático más asombrosamente absurda de la historia.[2]

El 11 de diciembre, el embajador de la delegación de Vietnam del Sur reiteró a los norteamericanos su postura de que mantener

---

2. Lo que sigue está extraído de los documentos conservados por la Oficina del Historiador del Departamento de Estado de los Estados Unidos. Véase, «Foreing Relations of the United States, 1964-68, Volume VII, September 1968-January 1969». http://history.state.gov/historicaldocuments/frus1964-68v07. Consultado el 25 de junio de 2015.

la «fórmula de las dos partes» era fundamental y que no se aceptaría ninguna concesión sobre ese tema. Entonces, los norteamericanos propusieron algunas otras configuraciones, con el argumento de que estas no eran «concesiones, sino alternativas» que «eran coherentes con el principio de las dos partes: dos semicírculos; cuatro mesas, enfrentadas de dos en dos; un diamante partido en dos; y una mesa redonda». La delegación survietnamita se mantuvo firme sobre lo que consideraban su mejor oferta: dos mesas largas, una enfrente de la otra.

Al día siguiente, la delegación norteamericana envió un mensaje al presidente Johnson informándole de un problema añadido con el procedimiento: el orden de intervención. «Se ha acordado que los nombres se extraerán al azar de un sombrero; pero [los norvietnamitas] quieren que sean cuatro los nombres a extraer... a fin de recalcar que esta es un conferencia de "cuatro potencias". Nosotros y los survietnamitas solo queremos que se extraigan dos nombres, que simbolizan nuestro punto de vista de que esta es una conferencia con "dos partes". A continuación, hablarían los dos miembros que integran cada una.» Mientras, las negociaciones sobre la forma de la mesa proseguían: los norvietnamitas propusieron utilizar cuatro mesas separadas, para más tarde sugerir una mesa redonda en torno a la cual se sentaran todas las partes, una idea que Estados Unidos no había conseguido vender anteriormente a los survietnamitas.

Los retrasos continuaron, y no sin implicar riesgos: se aconseja al presidente Johnson que contemple la posibilidad de restablecer los ataques aéreos «en respuesta a las dilaciones en la mesa de conferencias». Un miembro de la delegación estadounidense señaló al vicepresidente de Vietnam del Sur que «no se puede esperar que la gente de Estados Unidos, y del resto del mundo, e... incluso de la propia Vietnam, comprendan nuestra discusión sobre la forma que ha de tener la mesa y el orden de intervención de cada parte mientras los combates y la muerte continúan». Pero seguía sin verse una solución.

Así las cosas, el vicepresidente survietnamita propuso adoptar un procedimiento en tres fases, en el que la primera se centrara únicamente en los asuntos que «no tuvieran nada que ver con el FLN». De esta manera, estos últimos podrían ser excluidos de forma natural, sin depender de un acuerdo sobre la forma de la mesa. Los Estados Unidos no respaldaron la propuesta sobre la base de que la argucia era demasiado transparente y haría descarrilar las conversaciones antes de que empezaran. Los norteamericanos también empezaron a considerar la opción de negociar bilateralmente con el Norte, si el Sur se mostraba demasiado estricto en las cuestiones de procedimiento.

El 2 de enero de 1969 se logró avanzar algo. El Norte seguía insistiendo en una «sencilla mesa redonda», aunque había aceptado la postura del Sur acerca de que no se colocaran banderas ni letreros con nombres si se podía resolver el asunto de la forma de la mesa. Acerca de los turnos de intervención, el Norte aceptó la propuesta de Estados Unidos de que se sortearan dos grupos y no cuatro, aunque insistieron en que las personas que realizaran la extracción fueran representantes de Vietnam del Sur y el FLN, y no de los Estados Unidos y Vietnam del Norte. Los survietnamitas no se dejaron impresionar por las concesiones que habían obtenido y exigieron que si se iba a utilizar una mesa redonda, esta debía estar dividida por una tira de tela que delimitara claramente las dos partes del círculo. El exasperado equipo norteamericano trató de argumentar que la claridad de ambos lados se podría conseguir de una manera igual de fácil por la proximidad con que estuvieran sentadas las personas de los diferentes grupos.

El 4 de enero, los survietnamitas plantearon una manera de resolver la cuestión de quién iba a sortear los grupos: podían «lanzar simplemente una moneda al aire o dejar que los otros hablaran primero». Por su parte, Estados Unidos se planteó si el Sur estaría dispuesto a zanjar el asunto de una mesa redonda «sin marcas» en vez de una «dividida» con un lanzamiento de moneda. Los norteamericanos también empezaron a trabajar para asegurar que los asistentes a la conferencia entraran en la sala por dos entradas independientes, para con ello resaltar aún más la naturaleza bilateral de las conversaciones. En todo momento, el empeño de los estadounidenses iba orientado a aplacar a la asombrada opinión pública en relación a este asunto, y también a dar comienzo unas conversaciones sobre el fondo antes de que el nuevo presidente estadounidense, Richard Nixon, tomara posesión del cargo el 20 de enero. Abrigaban la esperanza de poder convencer a los survietnamitas de que aceptaran tener una mesa redonda sin marcar, a cambio de que Vietnam del Norte cediera en las cuestiones de las banderas, las placas y los turnos de intervención.

Dada la falta de solución, la disputa sobre la forma de la mesa llegó hasta el jefe del Estado. El 7 de enero, un indignado presidente Johnson le dijo a su equipo que «estaba hasta las narices», y se preguntó en voz alta si la intransigencia del Sur no estaría en cierto modo alentada por la entrante administración Nixon. Entonces envió una carta al presidente del Vietnam del Sur en la que expresaba el pleno respaldo de la presidencia norteamericana a la petición de que hubiera una sencilla mesa de conferencias redonda:

> Ni el pueblo norteamericano ni el Congreso pueden entender nuestra incapacidad para aceptar una mesa redonda continua y, si es necesario, sin marcar. Una mesa así no es, en modo alguno, cuatripartita por definición. Con el espacio de la mesa dividido, como sería el caso, en dos partes iguales, de hecho tendría una clara tendencia bipartita, aunque no estuviera marcada…

En el momento actual, la situación en el Congreso y entre el público norteamericano es tan peligrosa y volátil como no la he visto en los últimos cuatro años, ni de hecho en mis 40 años de servicio público. No realizar estas razonables modificaciones en nuestra postura, solo puede conllevar una verdadera avalancha de críticas dirigidas en parte hacia el gobierno norteamericano, pero de forma mucho más acusada y dañina a la imagen que de su gobierno tiene el Congreso y el pueblo norteamericano... Usted y yo tenemos una dilatada historia de íntima y constructiva colaboración. Siempre hemos tratado de hacer lo correcto, y esto es lo que ahora le estoy pidiendo que haga, en la firme creencia de que eso es lo correcto y la igualmente firme creencia de que es esencial que lo haga si mi país va a continuar con la línea de actuación fundamental que he apoyado desde el principio. Por favor, no obligue a los Estados Unidos a reconsiderar su postura fundamental sobre Vietnam.[3]

Antes de entregar la carta al presidente survietnamita, el delegado estadounidense reiteró la postura norteamericana de que había llegado el momento de resolver aquel asunto.

Tomaremos medidas para dejar claro que la disposición de la mesa es esencialmente bilateral. Esto se puede hacer de varias maneras. Una, que ya hemos tratado anteriormente, implica dejar un espacio entre nuestro lado y el suyo, eliminando una silla en cada uno de los puntos medios o dejándola sin ocupar. Otra consiste en colocar una pila de libros o carpetas de documentos encima de la mesa entre nuestro lado y el suyo... Han pasado ya más de dos meses desde el cese definitivo de los bombardeos, más de un mes desde que la delegación del gobierno de Vietnam llegara a París y ocho desde que

---

3. *Ibídem.*

se iniciaran en dicha ciudad las conversaciones entre los Estados Unidos y la República Democrática de Vietnam, y en opinión de mi gobierno ha llegado definitivamente el momento en que debemos pasar a los problemas sustantivos sobre los que podamos presentar juntos un sólido frente común. El asunto de la forma de la mesa es un lastre para nosotros dos.[4]

Y, sin embargo, las negociaciones continuaron. Se llegó a suscitar incluso algún debate sobre la diferencia entre una mesa redonda y una circular. Al final, los survietnamitas ofrecieron otra solución de compromiso, en virtud de la cual la tira de tela podía ser sustituida por «una línea delgada pero visible que separase ambos lados». Sobre la cuestión de las intervenciones, se planteó una nueva posibilidad: «Sacar dos pajas, por ejemplo, una roja y una amarilla. El sorteo lo tiene que hacer una tercera parte (posiblemente un funcionario francés)».

No es que hubiera habido falta de perseverancia o de ingenio hasta ese momento, pero a veces resulta que solo necesitas un par de ojos nuevos para ver el problema. Con la amenaza del estancamiento en el horizonte, el 13 de enero se presentó una nueva propuesta por el ministro consejero de la Embajada de la Unión Soviética en Francia: «Una mesa redonda con otras dos rectangulares pequeñas colocadas en lados opuestos». ¡El éxito estaba al alcance de la mano!

El 16 de enero, las partes en litigio acordaron lo siguiente: una mesa circular sin marcas con otras dos rectangulares en sendos puntos opuestos del círculo, separadas unos 45 centímetros de la mesa principal; no habría ni banderas ni placas con nombres; un diplomático francés sacaría las pajitas o lanzaría al aire una moneda para decidir qué parte hablaría primero; el lado que

---

4. *Ibídem.*

ganara hablaría primero y no se permitirían más de dos intervenciones. Entonces surgió un último problema, bien que de escasa importancia: el presidente de Vietnam del Sur no quería que el lanzamiento de la moneda se realizara en el Quai, como se había propuesto inicialmente, sino en el hotel Majestic. Esto, a Dios gracias, no dio al traste con el asunto. La primera reunión de las conversaciones de paz de París empezaron la mañana del 18 de enero de 1969, en el hotel Majestic.

Cuando has pasado seis semanas discutiendo sobre la forma de la mesa, puedes estar seguro de que la paz real no será fácil de conseguir. Los Acuerdos de Paz de París no fueron firmados hasta 1973, momento en el que se acordó un cese el fuego y los Estados Unidos empezaron su retirada oficial de la guerra. Aunque el *Acuerdo sobre la finalización de la Guerra y Restauración de Paz en Vietnam* exigía un alto el fuego, que debía ir seguido de un proceso político de pacificación para resolver las cuestiones relativas a la gobernabilidad, lo cierto es que la guerra prosiguió hasta que Vietnam del Norte derrotó a Vietnam del Sur y estableció un gobierno comunista en todo el país.

ATASCARSE EN EL PROCEDIMIENTO: CAUSAS HABITUALES

Como se desprende de todo lo antedicho, no cabe duda de que es posible que los negociadores se pierdan en cuestiones relativas al procedimiento. Por ejemplo, las partes de un conflicto podrían no llegar jamás al momento de ponerse a hablar de las soluciones potenciales, si no son capaces de decidir quién hará la primera propuesta de acuerdo. Un acuerdo comercial que se espera beneficioso para ambas partes, aun así podría no llegar a materializarse si una parte quiere que se tome una decisión rápidamente, pero la otra prefiere más tiempo para comparar otras ofertas o considerar las opciones alternativas. En uno u otro caso, las partes están comprensiblemente preocupadas con acertar con el procedimiento, pero atascarse en este puede desembocar en onerosas dilaciones o poner en riesgo la posibilidad de alcanzar un acuerdo. Existen unas cuantas causas frecuentes para que esto suceda. A veces, todo es culpa de unos *preparativos insuficientes*: los negociadores no han reflexionado debidamente sobre las cuestiones del procedimiento, o no se han reconciliado de antemano distintos puntos de vista dentro de un mismo equipo, lo que complica las conversaciones con la otra parte. Otras veces, es la *parálisis analítica* la que impide a las partes llegar a un acuerdo sobre el camino a seguir: ningún proceso es «perfecto», y la búsqueda del proceso óptimo puede llevar a demoras innecesarias. En otros casos, es un exagerado *deseo de flexibilidad estratégica* (querer «mantener abiertas todas la opciones») lo que retrasa el compromiso sobre el procedimiento, aunque más aplazamientos salgan caros. Todos estos son problemas que se pueden prevenir, o cuando menos atenuar, con una preparación adecuada.

Las partes se pueden estancar con los asuntos del procedimiento cuando hay una preparación inadecuada, un objetivo ilusorio de elaborar el procedimiento perfecto o un deseo desmedido de flexibilidad estratégica.

CUÁNDO OLVIDARSE DEL PROCEDIMIENTO

Por más que nos pueda gustar considerar el *fondo* y el *procedimiento* como elementos independientes de la negociación o la diplomacia —cada uno de los cuales exige un planteamiento estratégico— a menudo acaban interrelacionados en las cabezas de los negociadores y/o sus audiencias. Hasta cierto punto, que ocurra así es oportuno. Las partes pueden reconocer que decisiones tales como «quién está en la sala» y «cuánto durarán las negociaciones» pueden tener un impacto en lo sustancial, y cuando esto es así, estas discusiones no deberían tomarse a la ligera. Al mismo tiempo, prestar una atención excesiva a la elaboración del procedimiento perfecto o más ventajoso es la receta para el desastre. Cuando esto sucede, se pone en peligro la transición desde la negociación del procedimiento a la de las cuestiones de fondo. En un mundo ideal, los negociadores dejarían a un lado las conversaciones sobre el fondo hasta no tener establecido un procedimiento viable. Pero cuando parece que una dilatada discusión sobre el procedimiento está poniendo en peligro la posibilidad de avanzar sobre el fondo, puede ser más sensato (a) tratar de alcanzar un acuerdo sobre un procedimiento imperfecto que pueda ser revisado más tarde, o (b) empezar las negociaciones sobre el fondo simultáneamente a las negociaciones que están en curso sobre el procedimiento.

Si las conversaciones sobre el fondo se están frustrando por prestar una atención excesiva al procedimiento, (a) consideremos alcanzar un acuerdo sobre un procedimiento imperfecto aunque revisable, o (b) empecemos las conversaciones sobre el fondo simultáneamente a las discusiones sobre el procedimiento.

EL CONFLICTO DEL PROCEDIMIENTO COMO UNA GUERRA POR PODERES POR LA LEGITIMIDAD Y LA INFLUENCIA

El problema se agranda cuando las partes consideran que incluso las concesiones insignificantes sobre el procedimiento equivalen a sacrificar influencia o legitimidad en el acuerdo. Esto es especialmente probable cuando hay incertidumbre o ambigüedad en torno a quién ocupa la posición dominante. Es más fácil acordar un procedimiento cuando la jerarquía y las dinámicas de poder están claramente establecidas y asentadas, porque ninguna parte percibe que haya mucho que ganar en disputarse la posición en las primeras etapas de colaboración. Pero cuando no existe un modelo de respeto mutuo reconocido por ambas partes, el procedimiento *deviene* el fondo. Por raro que les pueda parecer a los observadores externos, para aquellos que están inmersos en controversias como estas, incluso las cuestiones aparentemente triviales que giran en torno a las normas de compromiso son vistas como las primeras pruebas de resolución, influencia y legitimidad. Vemos esto con claridad en un penetrante comunicado de la Embajada de Estados Unidos a su Departamento de Estado del 19 de diciembre, el cual incluía el siguiente análisis de las negociaciones sobre la forma de la mesa:

> … [los survietnamitas] expusieron algunos argumentos que, según su punto de vista, van directamente a la esencia de la cuestión, en especial el de que ellos no deben ser puestos en plano de igualdad con el Frente de Liberación Nacional. Los survienamitas consideran estas cuestiones de capital importancia. A su modo de ver, los primeros movimientos son esenciales, en la creencia de que, a partir de ellos, el enemigo colegirá si puede conseguir que le hagamos concesiones importantes en cuestiones de fondo y si nos puede dividir a los Estados Unidos y a Vietnam del Sur… Para los norvietnamitas, como para los survietnamitas, el procedimiento es de fondo, porque aquel puede determinar este. El temor de los survietnamitas es que nosotros estemos demasiado impacientes por hacer concesiones… Creo que tienen razón en su análisis de los efectos de las concesiones prematuras sobre el

clima reinante aquí, en Vietnam del Sur. Si nuestra parte cede durante la primera ronda preliminar, aquí podría producirse un grave desmoronamiento de la moral. La gente juzgará las probabilidades de que haya libertad en Vietnam del Sur, y la firmeza de nuestro compromiso con esa liberad, por la manera en que nos manejemos —Estados Unidos y Vietnam del Sur juntos— durante la fase inicial de las conversaciones. El enemigo llevaba años diciendo que no negociaría mientras prosiguieran los bombardeos, y más tarde negoció sin que se hubieran interrumpido; dijeron que teníamos que reunirnos en Phnom Penh o en Varsovia y más tarde aceptaron reunirse en París; dijeron que no aceptarían ninguna condición a cambio del cese de los bombardeos; por último, aceptaron condiciones... Ahora dicen que no se sentarán a menos que se reconozca el carácter cuatripartito de las negociaciones. Puesto que no vamos a reconocer tal cosa, acabará conformándose con menos. Con los comunistas (en realidad, y según mi experiencia, esto no es privativo de los comunistas), rara vez se promueven negociaciones fructíferas siendo complaciente, sobre todo al principio. De hecho, creo que mostrarnos demasiado impacientes por obtener resultados rápidos, podría dificultarnos el que consiguiéramos una solución viable al conflicto o provocar que al final tardáramos más en lograrla.[5]

Cuando las relaciones de poder no están claras ni asentadas, las negociaciones del procedimiento pueden convertirse en guerras por poderes por la influencia y la legitimidad que ponen en peligro las negociaciones sustantivas.

---

5. *Ibídem.*

LA CONVENIENCIA DE PLANTARSE SOBRE LAS CUESTIONES DEL PROCEDIMIENTO

Esto no quiere decir que adoptar una postura firme sobre el procedimiento no sea nunca una buena idea. De hecho, de cómo nos comportemos durante las negociaciones del procedimiento puede derivarse la forma en que la otra parte nos trate en las negociaciones sobre el fondo. No hace mucho tiempo asesoré a una pequeña empresa que estaba negociando una alianza estratégica con otra mucho más grande que tenía miles de millones de dólares de ingresos anuales. Por las dos partes sentadas a la mesa había buena voluntad, pero pronto se puso de manifiesto que el otro equipo tenía previsto tratarnos igual que a todas las demás pequeñas empresas con las que habían llegado a un acuerdo, lo que quería decir que ellos dictarían las normas y que esperaban que nosotros asintiéramos sumisamente con la cabeza a todo. Todo sea dicho, no había verdadera mala intención. Desde su punto de vista, había montones de pequeñas empresas haciendo cola para conseguir una oportunidad de asociarse con ellos, debido a que aportaban un valor de marca tremendo y una enorme capacidad de distribución. El problema estaba en que nosotros no nos consideramos una empresa incipiente en dificultades. Antes al contrario, una valoración objetiva pondría de manifiesto que nosotros también les aportábamos un valor tremendo, en especial al atender una de sus principales necesidades estratégicas.

En mi opinión, el problema tenía que ver con la psicología del acuerdo: *ellos sabían y nosotros sabíamos* que aportábamos al menos tanto valor como ellos, aunque ellos *suponían que nosotros reconoceríamos* que no estábamos ante unas conversaciones entre iguales. Le dije a los integrantes de nuestro equipo que teníamos que tener presente que la otra parte negociaba los acuerdos con dos clases de aliados: aquellos a los que consideraban sus iguales y aquellos que estimaban debían sentirse afortunados por el mero hecho de estar allí. Dado que trataban a esos dos grupos de forma muy diferente, teníamos que asegurarnos de que se estableciera desde el principio la fórmula «iguales», y no la fórmula «afortunados». Si la fórmula «afortunados» arraigaba, se esperaría que nos sometiéramos a sus exigencias a lo largo de todo el proceso de negociación.

Así que lo que aconsejé fue que plantáramos cara desde el principio y lo hiciéramos sobre el procedimiento. Más concretamente, decidimos que rechazaríamos hasta la más nimia de las exigencias sobre este, si considerábamos que no se habrían impuesto a alguien que fuera considerado un igual. Durante las primeras semanas hubo más dimes y diretes sobre el procedimiento de lo que nos hubiera gustado a ambas partes, pero dio resultado. Cuando llegamos a las negociaciones sobre el fondo, nos resultó mucho más fácil —y a ellos, lo cual no es de extrañar— oponernos con firmeza a cualquier cosa que se antojara desigual o injusta.

Oponerse a las exigencias injustas en materia del fondo es más fácil si antes se han cuestionado las exigencias injustas sobre el procedimiento.

CÓMO MANTENERSE FIRMES SOBRE EL PROCEDIMIENTO

¿Por qué nuestro planteamiento para negociar con una gran empresa no se convirtió en la clase de disparate que presenciamos en Vietnam? Como es evidente, hay innumerables diferencias entre ambas situaciones, aunque hay unas cuantas cosas que hay que tener presente cuando decidamos ponernos serios sobre el procedimiento. Primero, a nosotros nos motivaba el deseo de estar en condiciones de igualdad, no de competir por obtener ventajas sobre la otra parte. Hay muchas más probabilidades de que los conflictos se descontrolen si se percibe que una parte está tratando de alcanzar una posición dominante. Por nuestra parte, enviamos un mensaje firme en relación a esta motivación, porque no solo rechazamos *sus* exigencias unilaterales, sino que también evitamos un lenguaje o unas propuestas que pudieran interpretarse como absolutamente asimétricas a nuestro favor. Segundo, entendíamos que el procedimiento y el fondo están a veces relacionados, así que tuvimos cuidado de no dejar que las controversias acerca del procedimiento interfirieran en las consideraciones sustantivas. Por ejemplo, una conversación en relación a los plazos (procedimiento) puede tener consecuencias sobre el alcance del acuerdo que se podrá negociar (fondo). Otro tanto sucede si se está de acuerdo en que un período negociador exclusivo tenga consecuencias tanto procedimentales como sustantivas. En tales casos, hay que buscar maneras de separar los problemas del procedimiento y los del fondo. Por ejemplo, para respetar el plazo que tiene una parte para anunciar el acuerdo y el interés de la otra por lograr un alcance mayor para la asociación, se puede estructurar el acuerdo de manera que se consume plenamente por etapas. Para reconciliar el deseo de la otra parte de que pongamos toda nuestra atención durante la etapa de negociación con nuestro interés en preservar la influencia, podríamos acordar una exclusividad provisional o parcial que se vaya ampliando en función de los avances. Por último, nosotros negociamos el proceso al mismo tiempo que el fondo. Al contrario de lo que sucedió en Vietnam, donde los negociadores de las conversaciones de paz permitieron que la falta de un procedimiento totalmente articulado retrasara los avances sobre las cuestiones sustantivas, cuando el avance sobre el fondo parecía posible y beneficioso.

Si se quiere mantener una postura firme sobre el procedimiento, lo mejor es (a) demostrar que se busca la igualdad, no la superioridad, (b) reconocer y abordar los problemas de fondo que están relacionados con las elecciones del procedimiento, y (c) negociar el fondo simultáneamente con el procedimiento.

A lo largo de esta sección hemos visto cómo la negociación del procedimiento —sin permitir que se nos vaya de las manos— puede contribuir a evitar o superar el estancamiento y el conflicto. En el último capítulo de esta sección, tomemos distancia y reflexionemos sobre cómo los negociadores eficaces son capaces de actuar previsoramente para reformular por completo las condiciones de un futuro compromiso.

12

CAMBIAR LAS NORMAS DEL COMPROMISO

Negociar con los amigos

En febrero de 2002, NBC y Warner Brothers saltaron a la portada de los diarios por haber firmado el contrato más caro de la historia de la televisión por los derechos de una serie televisiva con episodios de 30 minutos de duración basados en la misma situación; es decir, los mismos personajes, los mismos escenarios, etc. La serie era *Friends*, una comedia sobre seis amigos que viven en la ciudad de Nueva York. Esa sería la décima y última temporada, que ponía fin a una trayectoria de diez años en los que la serie fue nominada para más de 60 premios Emmy para programas en horario de máxima audiencia (ganando 6) y elegida entre las cinco primeras series de la televisión en todas las temporadas, salvo en la primera. Sin ningún genero de dudas era una gran serie, pero eso no basta para explicar lo que se les pagó a los actores que interpretaban a los seis personajes principales durante la última temporada.

Muchas comedias tienen una estrella que está rodeada por un elenco de otros actores. Pensemos, por ejemplo, en algunas de las series más populares de la NBC durante los dos decenios previos a la mencionada negociación: *La hora de Bill Cosby*, *Family Ties*, *Frasier*, *Everybody Loves Raymond* y *Seinfeld*. Lo que hacía singular a *Friends* era que había seis protagonistas, a todos los cuales se les otorgaba aproximadamente el mismo tiempo en pantalla.[1] Esto los hacía igual de importantes a todos. Y también podía hacerles, desde la perspectiva de una negociación, igual de prescindibles. Desde el punto de vista de la productora o de una cadena de televisión, si alguno de los miembros del reparto llegara a mostrarse demasiado agresivo en las negociaciones, probablemente la serie podría continuar sin él o sin ella. No sería una situación ideal, pero tener la posibilidad de seguir adelante con cinco de los seis miembros del reparto original debería haber proporcionado cierta ventaja sobre los actores. (Una clase de ventaja con la que es difícil contar cuando la serie se llama *Seinfeld* o *Everybody Loves Raymond*, y casualmente el actor se llama Jerry Seinfeld o Raymond Romano.)

Pero, cuando todo terminó, el acuerdo firmado entre la NBC y Warner Brothers daba a cada uno de los seis actores un millón de dólares *por episodio*. Habida cuenta de los 22 episodios programados para la temporada, cada uno de los actores podía ganar 22 millones de dólares.[2] Para considerar la situación con objetividad, pensemos en lo siguiente: solo unos años antes, en la última temporada de *Seinfeld*, una serie que ganó más premios Emmy y gozó de mejores audiencias que *Friends*, Jerry Seinfeld recibía un millón por episodio; los siguientes tres actores mejor pagados cobraban 600.000 dólares por episodio.[3] Así pues, ¿cómo los seis «amigos» al completo podían esperar cobrar mucho más?

---

1. Blatt, Ben, «Which Friends on "Friends" Were the Closest Friends?», *Slate*, 4 de mayo de 2014.

2. Carter, Bill, «"Friends" Deal Will Pay Each of Its 6 Stars $22 Million», *New York Times*, 12 de febrero de 2002.

3. Hackett, Robert, «Jerry Made Serious Cash in the Last Season of "Seinfeld"», *Fortune*, 1 de junio de 2015.

SIN RECURRIR AL DINERO NI A LA FUERZA

La semilla del éxito en 2002 fue sembrada años antes, durante las negociaciones para la tercera temporada de *Friends*. Antes de esta, los seis actores siempre habían negociado de la manera habitual, lo cual quiere decir que lo habían hecho por separado y con la ayuda de sus agentes. Después del primer año, durante el cual cada actor recibió la cantidad uniforme de 22.500 dólares por episodio, sus futuros salarios estarían en función del éxito de la serie, la supuesta importancia del personaje y las alternativas externas que tuviera el actor. En la segunda temporada, estos factores dieron lugar a un abanico de retribuciones para los seis de entre aproximadamente los 20.000 dólares y los 40.000 dólares por episodio.[4]

Pero antes de que empezaran las negociaciones para la tercera temporada, el actor David Schwimmer («Ross»), que probablemente iba a recibir uno de los salarios más altos esa temporada, propuso un planteamiento distinto. Se dirigió a sus compañeros de reparto y les expuso su opinión de que la productora y la cadena de televisión tenían una enorme ventaja sobre ellos debido a que, individualmente, todos eran sustituibles. Por consiguiente, no estarían en posición de compartir realmente el éxito de la serie, a menos que acordaran permanecer unidos en las futuras negociaciones y pedir el mismo salario para cada uno de los seis. Esto era algo heterodoxo; Schwimmer les estaba pidiendo que no se fijaran en el valor añadido individual a la serie de cada uno y que en su lugar negociaran basándose en su contribución colectiva. Si eran capaces de permanecer unidos como fuera, con independencia de quién, «objetivamente», se mereciera más o menos

---

4. Lowry, Brian, «"Friends" Cast Returning Amid Contract Dispute», *Los Angeles Times*, 12 de agosto de 1996.

en una determinada temporada, conseguirían una mayor ventaja. Entonces, jugó su mejor baza: para subrayar su compromiso con la idea, se ofreció a hacer el primer sacrificio: pediría a la productora que *le pagara menos dinero* en la tercera temporada, de manera que todos obtuvieran la misma cantidad. Jennifer Aniston («Rachel») tendría que aceptar hacer lo mismo... y lo hizo. De resultas de ello, en aquel contrato cada uno de los seis recibió el salario del actor peor pagado: 75.000 dólares iniciales por episodio durante la tercera temporada, que se incrementarían hasta los 125.000 dólares por episodio durante la sexta temporada.[5] Los seis jamás volverían a negociar por separado.

En una entrevista concedida a *Vanity Fair*, David Schwimmer recordaba:

> Le dije al grupo: «Este es el acuerdo. Se me aconseja que pida más dinero, pero me parece que, en vez de eso, deberíamos entrar todos juntos. Lo que se espera es que entre y pida un aumento de sueldo. Creo que deberíamos aprovechar esa oportunidad para decir abiertamente que se nos pague lo mismo a los seis. No quiero venir a trabajar con la sensación de que en el futuro alguna otra persona del reparto va a tener algún motivo de resentimiento. No quiero estar en su situación —aquí dije el nombre del actor peor pagado de la serie— de venir a trabajar, hacer el mismo trabajo y tener la sensación de que hay otro al que le pagan el doble. Es ridículo. Tomemos la decisión ahora: nos van a pagar a todos lo mismo por hacer el mismo trabajo». Me pareció que era importante que nos convirtiéramos en un pequeño sindicato. Porque como grupo empezábamos a tener que tomar muchas decisiones

---

5. Rice, Lynette, «"Friends" Demand a Raise: TV's Top Sitcom Stars Want Another Huge Pay Hike, Meaning the Future of the Show Is Uncertain», *Entertainment Weekly*, 21 de abril de 2000.

desde el punto de vista de la publicidad. Esa fue en realidad una consecuencia de cómo se originó el impulso, que provenía de mi grupo de teatro [experiencia]. Todos teníamos deudas. Todos éramos camareros y camareras y hacíamos otros trabajos, pero todos teníamos que pagar las mismas deudas, y todos cobrábamos lo mismo. Esa idea era verdaderamente importante para mí.[6]

Además de unos sueldos más elevados, los miembros del reparto pudieron negociar una participación en los derechos de distribución —algo infrecuente para un reparto en la época—, lo que les proporcionaba un porcentaje sobre los ingresos cada vez que la serie fuera repuesta. Después de la sexta temporada, el elenco de actores negoció un sueldo de 750.000 dólares por episodio y actor.[7] Cuando se llevó a cabo la famosa negociación del millón por episodio, a nadie le cupo ninguna duda de que o los seis actores firmaban en pleno o en pleno se largaban. El gambito de Schwimmer —el sacrificio que hizo cuando había unas decenas de miles de dólares encima de la mesa— dio unos frutos de millones.

DEFINIR LOS TÉRMINOS DEL FUTURO COMPROMISO CUANDO TODAVÍA RESULTA BARATO HACERLO

Incluso las relaciones más importantes suelen comenzar con situaciones en las que lo que está en juego es relativamente escaso. Las guerras acostumbran a empezar con pequeñas refriegas. Los procesos de paz habitualmente empiezan con intentos de alto el fuego. La posibilidad de una adquisición es a menudo puesta a prueba con una actividad conjunta en un escenario más limita-

---

6. Littlefield, Warren, «With Friends Like These», *Vanity Fair*, mayo de 2012.

7. Carter, «"Friends" Deal Will Pay.»

do. La semilla del matrimonio suele plantarse en la primera cita. Algunas de las alianzas empresariales más fructíferas han empezado con unos poco amigos o colegas sentados en torno a una mesa charlando sobre una idea interesante. Mucho se ha hablado sobre la influencia de las primeras impresiones, y no faltan las anécdotas y parábolas que exaltan las virtudes de tratar bien a las personas —incluso a los desconocidos—, porque nunca se sabe lo que puede salir de ahí. En este caso la enseñanza es algo diferente: no se trata simplemente de causar una impresión positiva al principio de la relación, sino de *definir las condiciones del compromiso* nada mas iniciarla. Schwimmer da la impresión de ser un tío muy majo, y estoy seguro de que eso no le ha perjudicado. Pero lo que sugería tenía poco que ver con su conducta o su encanto: la esencia de su propuesta era que invirtiendo en el presente, los seis actores tenían la oportunidad de remodelar el procedimiento de negociación de manera que, a la larga, pudiera ser mejor para todos.

Las relaciones incipientes pueden proporcionar una oportunidad barata de formular las condiciones del futuro compromiso.

LAS INVERSIONES COSTOSAS INDICAN UN COMPROMISO CON EL PROCEDIMIENTO

Una cosa es tener una buena idea sobre cómo remodelar el procedimiento; otra completamente distinta es hacerlo de manera que se ponga de manifiesto el propio compromiso con la propuesta. Hay que destacar que la propuesta de Schwimmer no iba a salir gratis; ocasionalmente, uno o más actores podrían salir peor parados con aquel acuerdo. Para articular con credibilidad que estaba convencido de que merecía la pena soportar semejante coste, él encajó el primer golpe. La disposición a soportar un coste al principio, cuando no existe ninguna garantía de que la inversión será rentable, es un medio eficacísimo de indicar el compromiso con una nueva forma de proceder.

Los gobiernos o los grupos armados que soportan unos costes políticos o aceptan condiciones previas para iniciar el proceso de paz, transmiten una señal de este tipo. Los potenciales negociadores que aceptan una onerosa «tasa de ruptura» si el acuerdo no se produce, o un período de negociación exclusivo que pueda retrasar o eliminar otras opciones, también están indicando un compromiso desde el principio. Los empleados que aceptan una oferta de empleo antes de negociar las condiciones exactas están haciendo otro tanto. Conocí a un director general de una empresa incipiente que pasaba por dificultades y tenía una necesidad acuciante de capital complementario. La angustia entre los empleados era enorme, ya que no sabían qué sucedería si la empresa no conseguía firmar otra serie de inversiones en los siguientes meses. Esto les animó a empezar a buscar otros trabajos de inmediato, porque además la búsqueda de empleo podría llevarles meses. El director general se dirigió a sus principales empleados y les pidió que retrasaran dichos planes. Les dijo que estaba comprometido con la empresa y con ellos y que necesitaba que ellos también mantuvieran el compromiso durante algunos meses, antes de que se decidieran a buscar en otro sitio. Y, acto seguido, hizo hincapié en su compromiso prometiendo pagarles el sueldo de su propio bolsillo si fuera necesario (esto es, si los inversores no firmaban), para garantizar que no abandonaran la nave en ese momento de crisis.

Cada una de estas decisiones puede ser mala en algunas circunstancias, razón por la cual no recomiendo ninguna con regularidad. Esa es precisamente la cuestión: dado que son arriesgadas, pueden enviar una clara señal de compromiso.

> *La disposición a soportar unos costes por adelantado*
> *para respaldar el procedimiento, envía una señal*
> *creíble de nuestro compromiso al respecto.*

ETIQUETEMOS LAS CONCESIONES

Enviar señales de que estamos comprometidos con el procedimiento no nos sirve de gran cosa si no logramos animar a los demás a que también se comprometan. Aquí se esconde un peligro. Cuando un gobierno acepta unas condiciones previas, podría acabar haciendo señales de desesperación y no de un compromiso con una causa valiosa.

Cuando un comprador acepta una gran penalización en caso de incumplimiento, esto puede indicar debilidad y no verdadero interés. Cuando un empleado acepta un trabajo antes de negociar, o un negociador admite un período de exclusividad prolongado, tal cosa puede enviar una señal de incompetencia o de falta de alternativas, más que de un compromiso positivo con la oportunidad. En las negociaciones, casi todas las conductas son susceptibles de ser interpretadas de múltiples maneras. El mismo acto de buena voluntad —hacer una concesión por el bien común— se puede interpretar como *amable, sensato, desesperado* o *estúpido*.

Las investigaciones demuestran que para obtener resultados óptimos —hacer que seguramente la otra parte corresponda a tus acciones con sus propios actos serviciales—, lo que queremos es que nuestros interlocutores interpreten nuestras acciones como amables y sensatas.[8] Por desgracia, sobre todo en las negociaciones difíciles

---

8. Pillutla, Madan M., Deepak Malhotra y J. Keith Murnighan, «Attributions of trust and the calculus of reciprocity», *Journal of Experimental Social Psychology*, 39, (2003). 448-455.doi: 10.1016/S0022-1031(03)00015-5.

y los conflictos desagradables, la otra parte tiene sus propios motivos para considerar tus acciones como fruto de intenciones perversas, la desesperación, la irracionalidad o la incompetencia. Los negociadores inteligentes procuran controlar las atribuciones que los demás harán en relación a sus concesiones. Por ejemplo, antes de aceptar un período de exclusividad prolongado, el negociador quizá quiera mencionar o insinuar sus otras alternativas (para evitar parecer desesperado) y explicar que, en ese caso, un período de exclusividad prolongado es aceptable porque «entendemos los singulares riesgos a los que se enfrentan al iniciar estas conversaciones en este momento», con lo que está señalando empatía y competencia. Para decirlo en palabras más sencillas: no es suficiente con que hagamos concesiones para facilitar el avance hacia un acuerdo mutuamente beneficioso; a menudo tenemos que encargarnos nosotros mismos de *etiquetar nuestras concesiones*. Esto es, asegurarnos de que la otra parte está comprendiendo la lógica de nuestras acciones, en vez de sacar conclusiones precipitadas. De manera adecuada a la situación, queremos transmitir el mensaje de que tomamos una *decisión*, que fue *costosa*, y que la hicimos porque creíamos que ambas partes comprendían los beneficios de la cooperación *mutua*.

En el caso de *Friends*, parece que la conducta de Schwimmer fue debidamente entendida. Su compañero de reparto y amigo, Matt LeBlanc («Joey»), reflexionaría tiempo después:

> Schwimmer estaba en situación de ser el que más dinero ganara. Estaba en la historia principal, la de Ross y Rachel. Él solo podía haber mandado más que ningún otro... ¿Sabía, en definitiva, que tendríamos más que ganar como grupo? No lo sé. Creo que fue un verdadero gesto por su parte, y siempre lo digo. Tenía que ser él.[9]

---

9. Littlefield, «With Friends Like These».

Hay que etiquetar nuestras concesiones. Incluso los actos sinceros de amabilidad y sabiduría pueden ser interpretados como debilidad o incompetencia. Formulemos las atribuciones que los demás hagan a nuestra conducta para asegurarnos de que alentamos la reciprocidad y no la explotación.

SI UN PATRÓN DESTRUCTIVO SE CONSOLIDA, ETIQUETEMOS NUESTRAS CONCESIONES FUTURAS

Anteriormente, hemos hablado en el libro de la importancia de reformular rápidamente si se establece una fórmula desfavorable. Huelga decir que cuanto antes nos enfrentemos a ella, antes podremos alcanzar el resultado preferido. Pero hay otra razón para actuar con rapidez. Cuanto más tiempo se mantenga una fórmula sin encontrar oposición, más difícil será cambiarla luego. Por ejemplo, en las relaciones entre los trabajadores y la patronal, si una fórmula controvertida lleva en vigor desde hace lustros y los propietarios convocan un cierre patronal cada vez que negocian (por ejemplo, en la NHL), será difícil cambiar esa pauta. Aunque todas las partes deseen mejorar la relación, a los propietarios no les resultará fácil decidirse *en contra* de la convocatoria de cierre patronal. Si hemos negociado de manera agresiva las últimas cinco veces que nos hemos sentado a la mesa, nuestra decisión bienintencionada de negociar más amigablemente esta vez en realidad podría ser percibida como una señal de desesperación. Cuanto más tiempo llevemos luchando, más difícil resulta dejar de luchar sin aparentar debilidad. En política a menudo arraigan pautas parecidas y, por desgracia, también, con demasiada frecuencia, en las relaciones personales; cada vez que una parte suaviza su postura, la otra se ve condicionada a sacar tajada de la oportunidad.

Una solución consiste en etiquetar nuestras concesiones; hagamos saber a la otra parte que actuamos en aras de la prolongada relación, no por debilidad. Pero si se ha consolidado una pauta de enfrentamiento, o si la fórmula de «comer o ser comido» se ha mantenido durante demasiado tiempo, puede que nuestras etiquetas no sean creíbles de inmediato. Tal vez no seamos capaces de convencer a nuestros interlocutores en el fragor de la batalla de que realmente somos «firmes y amables», debido a que ellos jamás nos han visto exhibir antes ambos rasgos al mismo tiempo. Desde su punto de vista, si alguna vez hemos sido «amables» era porque estábamos en posición de debilidad.

En tales situaciones, a veces es más efectivo que *etiquetemos nuestras futuras concesiones*. Por ejemplo, *hoy* mantenemos una actitud más beligerante de lo que hubiéramos querido porque la alternativa es que se nos vea como débiles, aunque proponemos un camino que puede conducir a una *futura* cooperación haciendo saber a la otra parte que estamos dispuestos a actuar de manera diferente la próxima vez, *siempre* que ellos colaboren con nosotros en la creación de las condiciones adecuadas. Estas condiciones podrían ser un acuerdo de que ambas partes empiecen con unas posturas menos beligerantes; de que no se utilizarán los medios de comunicación para atacarnos mutuamente; de que las concesiones serán correspondidas de manera oportuna, o de que cada parte hará simplemente todo lo que pueda para no responder a la amabilidad con desconfianza o agresividad. En pocas palabras, quizá hoy no sea posible etiquetar una concesión, pero puede que sea más fácil etiquetar una que todavía no hayamos hecho.

*Si ha arraigado una pauta destructiva, etiquetemos
nuestras futuras concesiones.*

SALVAGUARDEMOS LA CREDIBILIDAD: A VECES SERÁ NUESTRA ÚNICA FUENTE DE INFLUENCIA

Como acabamos de ver, no todas las negociaciones proporcionan una manera fácil de etiquetar nuestras concesiones y de mostrar nuestro compromiso con un procedimiento que funcionara mejor para todos. Tal vez no tengamos la opción, como la tenía David Schwimmer, de soportar el primer coste, y las personas a las que tenemos que convencer de nuestros motivos tal vez no confíen en nosotros tanto como los «amigos» confiaban en aquel. Pero de acuerdo con mi experiencia, hay una manera de enviar señales de tu compromiso con el procedimiento que proporcionan *todas* las negociaciones: *mantener siempre nuestra palabra, aunque sea costoso.* Los mejores negociadores y diplomáticos se toman muy en serio las promesas y compromisos que han hecho a la otra parte, así en las cosas pequeñas como en las importantes. No se trata solo de que sea lo correcto; es un instrumento enormemente poderoso en la negociación. Sobre todo en los conflictos difíciles y prolongados, donde la negociación en sí podría considerarse arriesgada o inútil, a menudo la única fuente de influencia que tenemos para traer a la otra parte a la mesa es nuestra credibilidad. Y una vez que estamos sentados a la mesa, la desconfianza suele ser el mayor obstáculo para el tira y afloja necesario para avanzar, porque muchas de las concesiones a las que se comprometen una y otra parte no son realizables de inmediato: promesas de trato equitativo, reparto del poder, beneficios futuros, etcétera, se basan necesariamente en la confianza. Si no hemos fomentado nuestra reputación de credibilidad, no estaremos capacitados para negociar acuerdos como esos.

Es interesante señalar que, tanto en los grandes como en los pequeños acuerdos, la gente no suele perder su credibilidad por culpa de un acto repentino de extrema perfidia. Antes bien, la credibilidad se va erosionando lentamente a lo largo del tiempo, a medida que la otra parte empieza a darse cuenta de que no siempre cumplimos con nuestros compromisos; que a veces hacemos afirmaciones enérgicas basándonos en una información incompleta; y que parece que nos olvidamos de algunas garantías que dimos, quizá demasiado apresuradamente, en las conversaciones iniciales. Por ende, la razón de que alguien no nos crea cuando le decimos sinceramente: «No puedo hacer eso», es que algunas semanas o meses atrás utilizamos las mismas palabras, solo para hacer esa misma cosa una vez que repentinamente pasara a merecer la pena hacerla. Este es un recordatorio frecuente que hago a mis alumnos y clientes: *Llegará un momento en que vuestra única fuente de influencia en la negociación será vuestra credibilidad.* Es una pena que este valioso activo sea cambiado por cosas tan nimias, tan a menudo y con tanta indiferencia.

La credibilidad suele perderse un poco cada vez. Hay que salvaguardar nuestra credibilidad cumpliendo con nuestros compromisos, incluso los pequeños.

RESUMEN DE LAS LECCIONES DE LA SEGUNDA PARTE: EL PODER DEL PROCEDIMIENTO

- Tengamos una estrategia de procedimiento.

- No elaboremos estrategias para el procedimiento de negociación; creemos estrategias para el procedimiento de implantación.

- Seamos las personas más preparadas de la sala.

- Negociemos el procedimiento antes que el fondo.

- Sincronicémonos con la otra parte sobre el procedimiento.

- Busquemos claridad y compromiso sobre el procedimiento.

- Normalicemos el procedimiento y animemos a los demás a que lo normalicen para nosotros.

- Incluso la negativa de la otra parte a aclarar o comprometerse con el procedimiento es esclarecedora.

- Busquemos compromisos que sean explícitos, inequívocos, públicos y personales.

- Antes de abandonar por un incumplimiento del procedimiento, valoremos el punto de vista de la otra parte, evaluemos todas las consecuencias y sugiramos soluciones viables.

- El compromiso con un procedimiento muy rígido no siempre es posible ni aconsejable.

- Mantengamos el empuje. ¿Cómo afectará la búsqueda de una ventaja a corto plazo a la relación en el futuro?

- El consenso tiene virtudes, pero concede derecho de veto a todos y reduce las probabilidades de alcanzar un acuerdo.

- Un consenso suficiente ayuda a mantener el empuje y limita la toma de rehenes en las cuestiones concretas.

- Mantengamos el listón bajo en cuanto a los logros en las cuestiones concretas, pero el listón alto en cuanto a la aprobación del acuerdo definitivo.

- «Nada está acordado hasta que todo lo está.»

- La transparencia puede sofocar el avance. Permitamos las negociaciones a puerta cerrada; luego, demos voz a nuestros mandantes sobre el acuerdo definitivo.

- Incluso después de unas negociaciones fructíferas, creemos canales y procedimientos para gestionar los conflictos residuales y latentes.

- Sigamos en la mesa de negociaciones, sobre todo después de las negociaciones fallidas.

- Si no estamos en la mesa, estamos en el menú.

- Ganemos influencia cuando no estemos en la mesa de negociaciones ayudando a vender el acuerdo o creando valor en otra parte.

- Cuidado con la tendencia, durante las épocas de paz, a no invertir lo suficiente en el mantenimiento de la paz.

- Nos estancamos en el procedimiento por una preparación inadecuada, por querer un procedimiento perfecto o por aspirar a demasiada flexibilidad.

- Para salir del atolladero, acordemos un procedimiento que se pueda revisar, o empecemos las negociaciones sobre el fondo al mismo tiempo que las del procedimiento.

- Las negociaciones del procedimiento pueden convertirse en guerras por poderes para obtener ventaja y legitimidad.

- Resistirse a las exigencias injustas sobre el fondo es más fácil si antes nos hemos opuesto a la falta de equidad en el procedimiento.

- Cuando nos mantengamos firmes por principio, busquemos la igualdad, no la superioridad, y abordemos cualquier problema de fondo que se vea afectado por nuestra postura.

- Seamos los primeros en actuar en el establecimiento del procedimiento adecuado: definamos las condiciones de la futura relación.

- La disposición a soportar los costes por apoyar el procedimiento envía una señal creíble de nuestro compromiso.

- Etiquetemos nuestras concesiones.

- Si se consolida una pauta destructiva, etiquetemos nuestras futuras concesiones.

- Salvaguardemos nuestra credibilidad cumpliendo nuestros compromisos, incluso los de escasa importancia.

Tercera parte
EL PODER DE LA EMPATÍA

Comprender, creo, es lo más importante cuando estás tratando con las personas, sean las que sean. Tienes que hacer el esfuerzo de comprender incluso lo incomprensible.

LAKHDAR BRAHIMI

13

EL PODER DE LA EMPATÍA

La negociación de la Crisis de los Misiles de Cuba

El 16 de octubre de 1962, aviones espía U-2 norteamericanos que llevaban a cabo una labor de reconocimiento sobre Cuba descubrieron lo que más tarde se confirmaría era la construcción, con ayuda de la Unión Soviética, de silos de misiles con capacidad para lanzar armas nucleares. La mera existencia de silos de misiles en la cercana Cuba no era ni inesperada ni problemática, aunque dos características concretas de tales emplazamientos despertaron especial preocupación en los Estados Unidos. Primero, tendrían capacidad para lanzar misiles ofensivos que podrían apuntar al territorio continental norteamericano.[1] Segundo, los misiles podían transportar cabezas nucleares. Casualmente, la Unión Soviética había prometido pública y privadamente que ningún misil ofensivo capaz de transportar cabezas nucleares sería desplegado en Cuba. En ese momento quedó claro que tales garantías solo habían servido para engañar y retrasar el descubrimiento de los silos. Aquello desató lo que en Estados Unidos llegaría a conocerse como la crisis de los misiles de Cuba.[2]

---

1. En pocas palabras, los misiles defensivos (piensen en «tierra-aire») podían ser utilizados para defenderse de un ataque de Estados Unidos; los misiles ofensivos (piensen en «tierra-tierra») podían ser utilizados para iniciar o vengarse de un ataque tomando como blanco a los propios Estados Unidos.

2. Para un estudio más detallado de la Crisis de los Misiles de Cuba existen muchas fuentes. Un lugar aconsejable para empezar: http://microsites.jfklibrary.org/cmc/.

A medida que el conflicto se agravaba, el mundo empezó a acercarse lentamente a una guerra nuclear más que en ningún otro momento de la historia. El 18 de octubre, el presidente estadounidense John F. Kennedy (JFK) organizó un grupo de consejeros, con el tiempo apodado el ExComm (acrónimo en inglés de Comité Ejecutivo del Presidente de los Estados Unidos), que se reuniría en secreto para valorar las opciones de respuesta a la amenaza. Este grupo de más de una docena de personas incluía al Estado Mayor Conjunto, a los secretarios de Defensa y Estado, al consejero de seguridad nacional, al director de la CIA y a Robert Kennedy, que a su condición de hermano menor de JFK unía la de fiscal general.

No tardó en hacerse evidente que había dos opciones principales para la reacción norteamericana. La primera, que podríamos denominar la acción *agresiva*, conllevaba ataques aéreos inmediatos para acabar con los silos de misiles en ciernes, posiblemente seguidos por una invasión terrestre de Cuba. La segunda opción, a la que podríamos aludir como la opción *gradual*, requería el establecimiento de un bloqueo para impedir que llegara más equipamiento militar a Cuba, seguida de acciones diplomáticas y la creación de una coalición en Sudamérica y las Naciones Unidas; en esta opción, los ataque militares serían el último recurso. Ambas posturas contaban con argumentaciones razonables, y ambas opciones eran peligrosas. Los debates entre los miembros del ExComm pusieron de relieve que ni siquiera había acuerdo sobre cuál de las dos tenía más probabilidades de desembocar en una nueva escalada por parte de la Unión Soviética.

Al inicio de las deliberaciones, casi todos los integrantes del ExComm respaldaban la opción agresiva. Robert Kennedy estaba entre la reducida minoría que consideraba que esa estrategia era demasiado peligrosa, porque limitaba de inmediato las opciones de ambos lados. El fiscal general también era de la opinión de que se podía esgrimir un sólido argumento moral en contra de que una superpotencia atacara unilateral y preventivamente a un pequeño país. En los días siguientes, se invirtió la situación, y la mayoría de los miembros del ExComm llegaron a la conclusión de que la opción gradual era mejor. Desde una perspectiva histórica, casi todo el mundo está de acuerdo en que el cambio de la opción agresiva a la gradual fue una medida sensata. La razón es que, desde 1962, nos hemos enterado de muchas de las cosas que estaban sucediendo a la sazón en la Unión Soviética y Cuba, y casi *cada* nueva información sugiere que una estrategia agresiva (ataques aéreos/invasión) habría sido aún más desastrosa que lo que el ExComm había imaginado. En otras palabras, cada suposición incorrecta del Comité erraba en el mismo sentido: la de subestimar el peligro de escalada en el caso de un ataque militar. Por ejemplo, los asesores suponían que apenas había 10.000 soldados soviéticos en Cuba en ese momento; a decir verdad, había más de 40.000. Pensemos en hasta qué punto esto aumenta las probabilidades de que los Estados Unidos acaben matando a tantos soldados soviéticos que la Unión Soviética considere que debe vengarse. Asimismo, el ExComm creyó que aunque había misiles en Cuba, las cabezas nucleares todavía no habían sido entregadas. La realidad es que las ojivas ya estaban en Cuba, y que el arsenal hasta incluía armas nucleares «tácticas», es decir, aquellas que podrían utilizarse contra una fuerza invasora. Por último, el Comité aceptaba como un artículo de fe que ningún arma nuclear soviética podía lanzarse sin la autorización explícita del Premier soviético Nikita Kruschev. Lo cierto es que los jefes militares soviéticos desplazados a Cuba tenían autoridad para utilizar las armas nucleares a su criterio, y el líder cubano Fidel Castro había decidido que aquellas deberían utilizarse si se producía una invasión. El secretario de Defensa de Estados Unidos Robert McNamara, que había formado parte del ExComm, explicaría más tarde lo que todo esto implicaba: «Nadie debería creer que si las tropas norteamericanas hubieran sido atacadas con cabezas nucleares tácticas, los Estados Unidos se habrían abstenido de responder con cabezas nucleares. ¿Y en qué habría acabado todo? En un auténtico desastre».[3]

Puede que el desastre se evitara, en primer lugar, al cambiar a la opción gradual, pero decidirse por la diplomacia nunca es una panacea. Que la opción militar sea terrible y hayamos optado por negociar no significa que podamos llegar a un acuerdo, en especial cuando vamos a negociar bajo la amenaza de la premura de tiempo, la incertidumbre, la desconfianza mutua y una hostilidad profundamente arraigada. ¿Cómo enfocas una negociación en la que nadie está dispuesto a retroceder, ni puede hacerlo, y en la que cada demora o paso en falso te acerca al precipicio de la guerra nuclear?

NEGOCIAR LO IMPOSIBLE

En lugar de un ataque militar preventivo, los Estados Unidos establecieron un bloqueo naval a Cuba, que denominaron «cuarentena» por razones políticas y estratégicas. Luego, de común acuerdo con un grupo creciente de aliados, y por la amenaza de la escalada militar, empezaron a presionar a la Unión Soviética para que negociara el fin de la crisis. Un resultado aceptable para los norteamericanos exigiría que la Unión Soviética desmantelara los silos

---

3. *The Cuban Missile Crisis, 1962: A National Security Archive Documents Reader*, 2nd ed., Laurence Chang y Peter Kornbluh, eds., New Press, Nueva York, 1998, del prólogo de Robert McNamara.

de misiles y se los llevara de Cuba. ¿Cómo podían los norteamericanos convencer a los soviéticos para que hicieran eso, especialmente cuando *estos últimos* habían demostrado la voluntad de asumir riesgos graves por obtener una ventaja militar, mientras que hasta la fecha los Estados Unidos no habían mostrado ninguna predisposición a agravar los problemas ni a hacer ningún alarde excesivo de fuerza?

La clave para resolver la crisis no estuvo solo en optar por un planteamiento distinto al que inicialmente se había preferido, sino en adoptar una *perspectiva* totalmente diferente sobre la manera en que debía considerarse el conflicto. La diferencia estribó en la voluntad de JFK de considerar el punto de vista de Kruschev e indagar en las razones exactas por las que la Unión Soviética se había sentido impulsada a trasladar armas nucleares a Cuba aun a riesgo de iniciar una guerra. Pues resultó que había numerosas razones para ello, y comprenderlas resultó primordial.

Analicemos el punto de vista soviético. En primer lugar, los Estados Unidos ya habían situado misiles con capacidad nuclear cerca de la Unión Soviética, en Turquía e Italia, los cuales eran tan amenazadores para los soviéticos como los misiles de Cuba lo serían para los Estados Unidos. En segundo lugar, en ese momento había una «diferencia de misiles» significativa, siendo el potencial nuclear de Estados Unidos (esto es, el número de misiles, bombarderos y ojivas) un orden de magnitud [50 veces] mayor que el de la Unión Soviética.[4] Además, el arsenal estadounidense era tecnológicamente más avanzado. En tercer lugar, el

---

4. Curiosamente, cuando el presidente Kennedy se presentó para presidente en 1960, se refirió a la «diferencia de misiles» como un asunto importante. Sin embargo, lo que sugería era que los Estados Unidos se estaban quedando rezagados en la capacidad nuclear, y que él restablecería la paridad. Aparentemente, ni JFK ni la Unión Soviética sacaron provecho del reconocimiento de que Estados Unidos estaba, en realidad, muy por delante de la Unión Soviética.

mayor problema con el arsenal soviético era la escasez de misiles balísticos intercontinentales capaces de alcanzar los Estados Unidos en caso de guerra. Los soviéticos sabían que este problema podía resolverse en pocos años, pero en el ínterin, creían que una medida disuasoria nuclear en forma de misiles de menor alcance desplegados más cerca de los Estados Unidos era una necesidad perentoria. Por último, estaba la cuestión de que la CIA seguía urdiendo planes para asesinar o derrocar a Fidel Castro, algo que a la Unión Soviética y a Cuba les parecía un poco más que irritante.

Comprender esta perspectiva contribuyó sobremanera a poner fin a la crisis, pero aun así el camino que quedaba por recorrer no era fácil. En los días siguientes, mientras la diplomacia pública y privada iba concretándose, se produjeron múltiples crisis y se tomaron numerosas decisiones en medio de una tremenda incertidumbre. En una ocasión, las fuerzas armadas norteamericanas utilizaron cargas de profundidad para obligar a salir a la superficie a un submarino soviético, ignorantes de que se trataba de un submarino *nuclear* y de que habían estado a punto de activar un protocolo que hubiera ocasionado que la nave lanzara su armamento. En otro momento de la crisis, Fidel Castro alcanzó tal grado de desesperación que envió una carta a Kruschev proponiéndole un ataque nuclear preventivo contra los Estados Unidos. El mandatario soviético ignoró prudentemente el consejo.

En última instancia, a pesar del importante (aunque limitado) uso de recursos militares, e incluso después de que los silos de misiles se hicieran operativos, no fue una respuesta militar sino un acuerdo negociado el que resolvió el conflicto. Los principales elementos del acuerdo fueron como siguen. La Unión Soviética eliminaría los silos de misiles bajo supervisión de las Naciones Unidas, lo que hicieron al mes siguiente. A cambio, los Estados Unidos pondrían fin a la cuarentena y haría dos promesas. Primero, presentaría un compromiso de «no invasión» en relación a Cuba. Segundo, y fundamentalmente, desmantelarían los misiles establecidos en Turquía e Italia que los soviéticos consideraban una amenaza. Pero se produjo un giro inesperado. Temiendo que esta última concesión les hiciera parecer débiles, los norteamericanos exigieron que la retirada de sus misiles fuera un elemento *secreto* del acuerdo; se le dijo a Kruschev que si hacía pública la concesión estadounidense sobre los misiles, los Estados Unidos ya no podrían cumplirla. En otras palabras, Kruschev podía obtener un buen trato, pero no podría cantar victoria. La posibilidad de un enfrentamiento nuclear en el caso de llegar a un punto muerto, puede que inclinara la balanza a favor de cerrar el acuerdo; Kruschev aceptó.

Los misiles norteamericanos fueron retirados al año siguiente, pero Kruschev perdió su empleo al poco tiempo, por culpa, al menos en parte, de la impresión de que los Estados Unidos habían «ganado» el enfrentamiento. Solo varias décadas más tarde los Estados Unidos reconocerían públicamente que en realidad FJK había ofrecido un quid pro quo, consistente en retirar los misiles norteamericanos a cambio de la eliminación de los misiles soviéticos.

LA EMPATÍA CREA MÁS OPCIONES... PARA NOSOTROS

Sería inimaginable un final satisfactorio a esta crisis de no haber mediado la habilidad y voluntad del presidente Kennedy para analizar el conflicto desde el punto de vista de Kruschev.[5] En ese momento, desde la perspectiva de Estados Unidos habría sido fácil ver a la Unión Soviética nada más que como un Estado

---

5. Lo mismo podría decirse de la voluntad de Kruschev de comprender y respetar las limitaciones de JFK.

inmoral que estaba comportándose de manera irresponsable y provocativa, al amparo de mentiras y maniobras de distracción, para obtener una posición de ventaja militar.

Pero desde la perspectiva de una negociación, la consideración más importante es siempre esta: *¿Cómo considera la otra parte nuestra conducta?* A decir verdad, habría habido pocas ganas de intentar siquiera la vía diplomática, si JFK no hubiera hecho el esfuerzo de analizar las razones por las que la Unión Soviética encontraría justificados sus propios actos. Y una vez que las negociaciones se pusieron en marcha, solo fue posible una solución gracias a que Estados Unidos comprendió las verdaderas motivaciones y preocupaciones de los soviéticos. Esta es la fuerza y la esperanza de la empatía.

El error que la gente comete es el de pensar que la empatía es lo que utilizamos cuando queremos ser amables, o bien que es un instrumento de la debilidad. Tal pensamiento es reflejo de un peligroso fallo de entendimiento. Para los negociadores, la razón para empatizar con el enemigo no es porque hacerlo sea en cierto modo el planteamiento «amable», «liberal» o «progresista» para tratar con la gente desagradable. Tenemos que empatizar porque *aumenta las probabilidades de que podamos alcanzar nuestras propias metas.* En el caso de la crisis de los misiles de Cuba, por ejemplo, la solución negociada no habría sido posible —ni imaginable— si el presidente Kennedy no se hubiera identificado con el premier Kruschev. A menos que aquel reconociera que los rusos podían sentirse legítimamente amenazados por los misiles yanquis en Turquía e Italia, la retirada de estos misiles, que fue decisiva en la resolución del conflicto, ni siquiera habría sido una concesión que valiera la pena considerar. ¿Para qué molestarse en hacer tales concesiones si la verdadera razón de la otra parte para comportarse de esta manera es que es malvada o irracional?

En las negociaciones de todo tipo, cuanto mayor sea nuestra capacidad para la empatía —cuanto más empeño pongamos en comprender las motivaciones, intereses y limitaciones de la otra parte—, más opciones solemos tener para resolver potencialmente la controversia o el estancamiento. En otras palabras, cuando utilizamos la empatía, no les estamos haciendo un favor a los demás, nos lo estamos haciendo a nosotros mismos. Si al patrón que rechaza nuestra petición de un aumento de sueldo lo despreciamos inmediatamente por insensible; si al socio comercial que plantea unas exigencias agresivas nos apresuramos a considerarlo un codicioso; si a la oposición política no tardamos en etiquetarla de malvada o malintencionada, estamos limitando nuestras propias opciones. Es posible que nuestro jefe esté pasando por verdaderas dificultades, que el socio comercial crea sinceramente que sus peticiones son razonables y que nuestros oponentes políticos crean casi sin ninguna duda que son *ellos* los que están haciendo lo que es mejor para el país. Cuando no analizamos sus puntos de vista, es poco probable que podamos apaciguar el conflicto, que encontremos un terreno de entendimiento, que nos ayudemos mutuamente a abordar los problemas esenciales o que pensemos creativamente la manera de que se puedan satisfacer los intereses de cada parte. *La empatía amplía el conjunto de opciones que tenemos* para resolver el conflicto y alcanzar un acuerdo. La empatía no garantiza el éxito, pero su falta generalmente garantiza el fracaso.

La empatía amplía el conjunto de opciones que tenemos para resolver el conflicto. Cuanto mejor comprendamos la perspectiva de la otra parte, más probabilidades tendremos de encontrar una solución.

LA EMPATÍA ES MÁS NECESARIA CON AQUELLOS QUE MENOS PARECEN MERECERLA

La mayoría nos consideramos relativamente comprensivos y empáticos, aunque no actuamos de esta manera cuando tratamos con personas que han hecho cosas que nos parecen aborrecibles o inexplicables. Sin embargo, son estas precisamente las situaciones en las que la empatía es más necesaria. Comprender ya comprendemos a nuestros amigos; la clave para resolver los conflictos radica en comprender a nuestros enemigos. Es importante no confundir la empatía con la simpatía. El objetivo consiste en *comprender* lo que está provocando que alguien se comporte de una manera determinada; eso no significa que tengamos que *aprobar* sus objetivos ni sus acciones. Hay una diferencia entre *explicar* la conducta de la otra parte y *justificarla*. Si vamos a relacionarnos con ellos de una manera que no sea una guerra sin cuartel, y quizá incluso también, debemos buscar la forma de comprender por qué *creen* que sus actos son adecuados, con independencia de lo improcedentes que se nos puedan antojar. Cuando nos enfrentamos a negociaciones difíciles y conflictos desagradables, no es necesario estar de acuerdo con la otra parte, pero sí que es esencial entenderla.

Al reflexionar sobre lo que las generaciones futuras podrían aprender de este encuentro desafortunado con el desastre, Robert Kennedy describió la función esencial de la empatía y la importancia de tomar en consideración las preocupaciones de la otra parte:

> La enseñanza definitiva de la Crisis de los Misiles de Cuba es la de la importancia que tiene ponernos en el pellejo del otro país. Durante la crisis, el presidente Kennedy dedicó más tiempo a tratar de averiguar los efectos que una línea de actuación

concreta tendría sobre Kruschev o los rusos, que a ningún otro aspecto de lo que estaba haciendo. Lo que guio sus reflexiones fue el empeño de no deshonrar a Kruschev ni de humillar a la Unión Soviética.[6]

La empatía es más necesaria con las personas que menos parecen merecerla. Cuanto más intolerable sea su conducta, mayor es el beneficio potencial de comprenderla.

DISMINUYAMOS LA TENSIÓN

En el punto álgido de la crisis, poco después de que se implantara la cuarentena, un barco soviético se acercó a la línea de interceptación. JFK decidió no detener el barco ni ordenar su abordaje. En vez de eso, lo dejó pasar, siguiendo el consejo de un miembro del ExComm que señaló la posibilidad de que la línea de cuarentena no hubiera sido comunicada todavía a la tripulación del barco. La idea era que quizá sería mejor dar a la otra parte algo de tiempo para que reflexionara y comprendiera las consecuencias de sus actos. Del mismo modo, durante la crisis, antes de que un avión espía U-2 norteamericano fuera derribado sobre suelo cubano por un misil soviético, el ExComm había decidido que cualquier acción parecida sería causa de un ataque militar inmediato por parte de Estados Unidos. Según el secretario de Defensa McNamara, una acción como la de disparar contra los norteamericanos «representaría la decisión de los soviéticos de agravar el

---

6. Kennedy, Robert, *Thirteen Days: A Memoir of the Cuban Missile Crisis*, W. W. Norton, Nueva York, 1969, p. 95.

conflicto. Y, por consiguiente, antes de que enviáramos el U2, acordamos que si fuera derribado no nos reuniríamos, atacaríamos sin más».[7] Pero cuando un avión espía *sí* fue derribado, el presidente ignoró a los jefes militares que le aconsejaron una represalia inmediata. Podría haber sido un accidente, razonó JFK: era improbable que Kruschev hubiera ordenado semejante ataque cuando había tanta tensión. *Tal vez sea mejor no suponer las peores intenciones con demasiada rapidez.* Al final, resultó que el juicio del presidente fue acertado y que la orden no había procedido de su homólogo soviético.

Una manera de minimizar el riesgo de un peligroso agravamiento es crear una mayor relajación en el detonante de la represalia. En lugar de soltarle un puñetazo a alguien en cuanto este nos golpea, tal vez sea aconsejable descifrar primero si aquello fue realmente una agresión, si fue intencionada y cuál fue la causa. Si nuestro oponente sigue empujándonos o si estamos seguros de que el acto fue aposta y malintencionado, entonces una respuesta física podría ser adecuada (aunque, por supuesto, hay otras opciones). De manera más generalizada, aunque pueda ser aconsejable haber reflexionado sobre las condiciones exactas en las que te vas a vengar, también es importante dejar algún margen a la prudencia. Durante la crisis, Kennedy redujo las probabilidades de que un error o un malentendido llevara a un agravamiento concediendo a la otra parte el beneficio de la duda y asegurándose de que comprendían las líneas que no debían cruzarse. Si, en lugar de eso, JFK hubiera insistido en tomar represalias después incluso de una única supuesta transgresión, probablemente el conflicto se hubiera agravado hasta extremos peligrosos.

---

7. Robert McNamara, entrevista adicional, *Dr. Strangelove or: How I Learned to Stop Worriying and Love the Bomb [¿Teléfono rojo?, volamos hacia Moscú]* (1964), 40 aniversario del estreno (Columbia Tristar Home Entertainment, 2004), DVD.

Disminuyamos la tensión. Si nuestros cálculos para una represalia ignoran la posibilidad de que medien errores o malentendidos, el riesgo de un agravamiento perjudicial e inadecuado se incrementa.

FLEXIBILIDAD ESTRATÉGICA FRENTE A CREDIBILIDAD

La distensión no sale gratis. Cuanta mayor sea la relajación en el sistema, más probabilidades hay de que se nos considere débiles o indecisos si decidimos no tomar represalias. Lo cual, si la otra parte es malintencionada u oportunista, podría provocar una agresión aún mayor. A un nivel fundamental, siempre hay una transacción entre la *flexibilidad estratégica* y la *credibilidad*. En su búsqueda de la flexibilidad, el presidente Kennedy se arriesgó a perder credibilidad cada vez que concedía el beneficio de la duda a los soviéticos.

La *credibilidad* —el punto hasta el cual los demás creen que cumpliremos con nuestros compromisos— nos ayuda a convencer a los demás de que se comporten adecuadamente. La *flexibilidad estratégica* —la posibilidad de que cambiemos de idea si aferrarse a un compromiso anterior parece insensato— nos permite elegir lo mejor en el momento de la decisión. Generalmente, deseamos tener tanta credibilidad y flexibilidad como sean posibles. Sin embargo, cuanto más invirtamos en flexibilidad estratégica, normalmente menos credibilidad tendremos, y viceversa. Por ejemplo, comprometerse públicamente con una estrategia aumenta nuestra credibilidad, pero reduce nuestra flexibilidad porque hace que nos sea más difícil retroceder. Los compromisos privados permiten una flexibilidad mayor, pero también indican menos credibilidad y compromiso.

> *Casi siempre surge el dilema de mantener la*
> *flexibilidad estratégica o salvaguardar la credibilidad.*

EVITEMOS ARRINCONARNOS A NOSOTROS MISMOS

Habrá ocasiones en las que nos parezca que perder alguna credibilidad es aceptable porque cumplir con un compromiso previo (por ejemplo, un plazo o un ultimátum) sería desastroso. En otros casos, tal vez decidamos que debemos mantenernos fieles a nuestros compromisos, aunque hacerlo sea costoso. Según mi experiencia, aunque es imposible eliminar completamente el dilema entre flexibilidad estratégica y credibilidad, se puede manejar con más o menos inteligencia. Así, podemos evitar muchos de tales conflictos si seguimos una sencilla norma: no lancemos ultimátums que no tengamos intención de cumplir, y evitémoslos por completo si podemos alcanzar nuestros objetivos sin ellos. En otras palabras, en la medida de lo posible y a menos que sean necesarias y reales, no deberíamos realizar conminaciones de ningún tipo.

> *No lancemos ultimátums a menos que planeemos*
> *cumplirlos, y aun entonces, busquemos otros medios*
> *de influir que no sacrifiquen la flexibilidad*
> *estratégica.*

NO OBLIGUEMOS A LA OTRA PARTE A ESCOGER ENTRE LAS DECISIONES INTELIGENTES Y SALVAR SU PRESTIGIO

Al otro lado de la mesa tienen el mismo problema; allí también deben gestionar la tensión entre mantener su credibilidad y cambiar de idea cuando esta sea la actitud inteligente. Esa es la razón de que, desde el punto de vista de JFK, el peligro no era que Kruschev fuera malvado o irracional; el peligro era que incluso las personas sensatas y razonablemente bienintencionadas pueden caer en la trampa de tener que luchar cuando la única alternativa que les queda es rectificar y parecer débiles. Así las cosas, lo que en buena medida guio la estrategia del presidente norteamericano fue el intento de no poner a Kruschev en una posición en la que tuviera que escoger entre dos alternativas. Como escribió Robert Kennedy en su diario de las crisis:

> Ninguna de las partes quiere una guerra en Cuba, dijimos, pero era posible que uno y otro lado pudieran dar un paso que —por razones de «seguridad» u «orgullo» o «prestigio»— exigiera una respuesta por la otra parte, la cual, a su vez, y por las mismas razones de seguridad, orgullo o prestigio, provocase un contraataque y al final una escalada hasta llegar al conflicto armado. Eso fue lo que [el presidente] quería evitar... No íbamos a malinterpretar ni a dar un paso en falso, ni a desafiar a la otra parte innecesariamente, ni a empujar precipitadamente a nuestros adversarios a una línea de actuación que no fuera intencionada o esperada.[8]

No obliguemos a la gente a tener que escoger entre hacer lo que es sensato y hacer lo que les ayude a salvar su reputación.

---

8. Kennedy, *Thirteen Days*, p. 49.

¡CUIDADO CON LA MALDICIÓN DEL CONOCIMIENTO!

A los pocos días de iniciada la crisis, y una vez que se había optado por la estrategia «gradual», el presidente Kennedy tuvo que dirigirse a los líderes del Congreso para ponerles al corriente de lo que se había descubierto en Cuba y lo que los Estados Unidos tenían planeado hacer al respecto. La sesión no fue bien, porque los congresistas censuraron con dureza la estrategia del presidente, a la que calificaron de insuficiente y demasiado débil, considerando que probablemente alentaría a los soviéticos a seguir con sus agresiones. Con toda razón, esta reacción molestó al presidente y a su equipo. Robert Kennedy se contaba entre los que consideraron que las ideas provenientes del Congreso eran ingenuas, increíblemente cortas de miras y peligrosas para la humanidad. Fue en este momento cuando JFK le dijo algo a su hermano que me parece especialmente revelador de la personalidad del presidente. Como Robert Kennedy recordaba:

> Cuando la reunión [con los congresistas] terminó, [él] estaba muy enfadado. Cuando lo hablamos más tarde, se mostró más filosófico, señalando que la reacción de los líderes del Congreso a lo que deberíamos hacer, aunque más combativa que la de él, se parecía mucho a nuestra primera reacción cuando el jueves anterior nos habíamos enterado de la existencia de los misiles.[9]

Tal como señaló JFK, los miembros de la ExComm habían dispuesto de muchos días —a puerta cerrada— para reflexionar sobre el problema, debatirlo, cambiar de ideas, consultarlo con la almohada y enfrentarse a las complejidades de unas de-

---

9. *Ibídem.*, p. 43.

cisiones aparentemente claras. No fue hasta después de todo eso cuando había llegado a la conclusión de que el planteamiento agresivo era insensato y que el enfoque gradual, aunque imperfecto, era una idea mejor. La cuestión sobre la que JFK le pedía a su hermano que reflexionara era esta: *¿Cómo podemos esperar que solo en un día el Congreso esté donde a nosotros nos costó tantos días llegar?* A pesar de sus objeciones a la reacción del Congreso, JFK recordó a su hermano que no debían exigirle al legislativo un nivel por encima del que se exigían a sí mismos.

Lo que el presidente Kennedy estaba resaltando principalmente era lo que los sociólogos denominan la «maldición del conocimiento». La «maldición» describe el siguiente fenómeno: *Una vez que sabemos algo, nos resulta muy difícil comprender lo que es no saberlo.* Esto es, una vez que nos hemos enterado de algo, o llegado a una conclusión, parece que perdemos la capacidad para ponernos en la mentalidad de alguien que todavía no ha tomado conciencia de ello, aunque no hace mucho *fuéramos* esa persona. La maldición puede desbaratar hasta los mejores intentos de los que tienen razón y actúan con buena intención: los padres que tratan de motivar, los profesores que intentan educar, los líderes que pretenden estimular y los negociadores que buscan convencer. En todos estos ámbitos, no nos hacemos ningún favor si nos olvidamos de que lo que es obvio para nosotros no lo será tanto para la otra parte, y que eso *no* significa que haya algo malo en ellos.

¡Cuidado con la maldición del conocimiento! Una vez que nos enteramos de algo, perdemos la capacidad para comprender lo que es no saberlo.

NO PREPAREMOS NUESTROS ARGUMENTOS, PREPAREMOS A NUESTRA AUDIENCIA

La maldición del conocimiento nos recuerda que, como negociadores y diplomáticos, no deberíamos limitarnos a entrar en la negociación con una serie de argumentaciones preparadas con las que confiamos llevarnos la palma. También tenemos que preparar a nuestra audiencia para oír nuestras argumentaciones. Tenemos que meditar sobre qué es lo que la otra parte tiene que haber visto, sentido, experimentado o entendido *antes* siquiera de que se muestren abiertos a las virtudes de nuestras argumentaciones y perspectivas. Los argumentos más fantásticos, las mejores propuestas y las ideas más inteligentes aún se quedarán cortas si no hemos llevado a nuestros interlocutores al punto en el que sean capaces de oír, comprender y valorar lo que decimos.

> *No preparemos sin más nuestras argumentaciones, preparemos a nuestra audiencia para nuestros argumentos.*

Todos los años, el Programa sobre Negociación de la Universidad de Harvard otorga el Premio al Negociador Excelente. Los premiados van desde diplomáticos y negociadores empresariales a artistas. En algún momento durante el turno de preguntas y respuestas que tiene lugar el día de la ceremonia, inevitablemente se plantea al premiado la siguiente pregunta: *¿Qué es lo que distingue a un negociador excelente?* Después de oír la respuesta a esta pregunta de una docena de premiados —gente que ha negociado en muchas culturas diferentes y en contextos muy diversos— hay algo que sobresale. Hay un rasgo que todos, de una u otra forma, han mencionado: la *empatía*. Ya estemos negociando un acuerdo comercial o un conflicto étnico, ya una oferta laboral, una disputa conyugal o un acuerdo comercial internacional, es *esencial* que tratemos de comprender cómo valoran los demás la situación.

Al analizar el punto de vista de la otra parte, ampliamos la serie de opciones para reducir el conflicto y alcanzar resultados mutuamente aceptables. No siempre es fácil; habrá veces en que los actos de la otra parte apenas dejen duda de que no andan detrás de nada bueno, y mientras, nuestra situación es precaria y empeora cada día. ¿Cómo se supone entonces que nos va a ayudar la empatía? En el siguiente capítulo, estudiamos precisamente una situación en la que negociar con empatía puede obrar milagros.

14

REFORZAR EL PODER
DE LA EMPATÍA

Negociar con una pistola apuntándonos a la cabeza

Estaba ayudando a un cliente —una empresa tecnológica con sede en Estados Unidos— a negociar un acuerdo comercial con una empresa china.[1] Las dos compañías ya habían firmado diversos acuerdos; un año antes a mi incorporación, habían firmado un «Acuerdo Conjunto de Desarrollo». Según los términos de este último, la empresa china aportaría capital para seguir adelante con el desarrollo y experimentación de nuestra tecnología y también empezaría a trabajar en el diseño de una planta para la fabricación de nuestro producto. A cambio, nuestra empresa les concedería un acceso inmediato a nuestro producto y trabajaría con sus ingenieros a fin de prepararlos para un eventual acuerdo comercial con nosotros. No había ninguna obligación para ninguna de las partes de firmar un acuerdo comercial, pero ambas consideraban enormemente beneficioso trabajar juntas.

El acuerdo conjunto de desarrollo era un mapa de carreteras con muchas etapas, cada una de las cuales especificaba responsabilidades

---

1. Algunos detalles de este ejemplo han sido cambiados para proteger el anonimato de las personas y empresas involucradas. La esencia de la historia y la importancia de las enseñanzas no han variado.

concretas para cada una de las partes (por ejemplo, suministro de información, participación en los proyectos, realización de pagos, etcétera.) Cuando se superase una etapa, las dos partes «aprobarían formalmente» su culminación y luego pasarían a la siguiente. Todo iba bien... hasta que de pronto cambió la situación. La controversia surgió en la etapa 2.8, la cual los chinos se negaban de pronto a dar por cumplida. Esta etapa requería por nuestra parte que les informáramos de los resultados de diez análisis efectuados a nuestro producto (eficiencia, duración, etcétera) a finales de julio. Y así lo habíamos hecho, dentro de plazo, y los resultados habían sido excelentes. En nueve de las diez pruebas, los resultados habían «superado el listón» de manera apreciable. En la décima prueba, los resultados habían estado ligeramente por debajo del nivel que habíamos establecido, pero no lo suficiente para que supusiera en la práctica ningún cambio en el producto. Con anterioridad, ambas partes habían dado el visto bueno a etapas que habían quedado mucho más lejos del objetivo, así que esta debería haber implicado una aprobación fácil. Huelga decir que si la otra parte realmente quisiera poner objeciones al resultado de la décima prueba, podría hacerlo... y eso fue exactamente lo que habían decidido hacer.

En circunstancias normales, un retraso o interrupción en el acuerdo de desarrollo conjunto no sería un problema. Pero en este caso, la renuencia de la empresa china a dar su visto bueno no tardó en convertirse en un grave motivo de preocupación para mi cliente. La razón de que así fuera era que diez meses antes, cuando mi cliente estaba negociando con unos inversores de capital riesgo la obtención de fondos adicionales para la empresa, había aceptado incluir una cláusula bastante peculiar en el pliego de condiciones. A uno de los inversores le preocupaba que la elevada valoración (casi 200 millones de dólares) que mi cliente estaba pidiendo dependía en gran medida de que todo fuera bien y el producto saliera al mercado en la fecha prevista. ¿Cómo infundir confianza en el inversor de que todo saldría adelante en los dos años siguientes? Por razones que deben haberles parecido razonables a ambas partes en su momento, mi cliente y el inversor habían llegado al siguiente compromiso: si la empresa parecía ir por buen camino en los meses siguientes —*estimación que dependía por completo de que los chinos aprobaran la etapa 2.8 a finales de septiembre*— entonces el valor sería de 200 millones de dólares; de lo contrario, sería devaluado inmediatamente a ¡100 millones! En otras palabras, 100 millones de dólares de valoración dependían por completo de la aceptación de la etapa 2.8.

Así que aquí estamos, en la primera semana de agosto, y la empresa china se niega a suscribir la etapa 2.8. Cuando les instamos a seguir adelante y que aprobaran dicha etapa, respondieron que dejáramos de obsesionarnos por las etapas del acuerdo de desarrollo conjunto y en su lugar pasáramos a ultimar el acuerdo comercial, arguyendo que «después de todo, este es lo que realmente importa». Cuando insistimos, dijeron algo que hizo que las cosas empeoraran aún más: «Aparquemos por el momento la etapa 2.8 y el acuerdo de desarrollo conjunto. Y empecemos a negociar el acuerdo comercial. *El mismo día que lo firmemos con ustedes, rubricaremos también la etapa 2.8*».

Déjenme aclarar un par de cuestiones. Primero, no había relación alguna entre ninguna de las etapas del acuerdo de desarrollo conjunto y el acuerdo comercial, ni se había mantenido previamente ninguna conversación sobre la vinculación de los dos acuerdos. ¿Por qué, de pronto, planteaban semejante exigencia precisamente sobre *aquella* etapa? Segundo, vincular la aprobación de la 2.8 con el acuerdo comercial estaba dando a los chinos una ventaja *tremenda* sobre nosotros. Si no fuera por su amenaza de retrasar su aprobación, nuestra parte estaría en una posición sumamente sólida para negociar un acuerdo comercial lucrativo: no teníamos ningún compromiso vinculante con ellos, contábamos con otras partes que estarían interesadas en llegar a un acuerdo con nosotros y la empresa china ya había realizado unas inversiones considerables en la relación. Sin duda, nosotros preferíamos llegar a un acuerdo con ellos, pero habríamos tenido mucha ventaja para salvaguardar nuestros intereses financieros y estratégicos en las negociaciones del acuerdo comercial de no estar por medio la etapa 2.8. Ahora, la otra parte tenía en la manga un as poderoso: retrasar la 2.8 hasta que aceptáramos sus exigencias comerciales era lo mismo que tomar como rehén la friolera de 100 millones de dólares de valoración.

Estaban en franca ventaja, y puede que lo supieran. Sin duda era así como se estaban comportando. Desde nuestro punto de vista, era imposible que hubieran llegado a ver el pliego de condiciones que habíamos firmado con nuestro inversor. Ni nadie pensaba tampoco que este último hubiera compartido la información en algún momento, lo cual, por supuesto, existía como posibilidad *teórica*. ¿Pero era posible que durante las conversaciones mantenidas con nuestros homólogos chinos en las semanas previas, alguna persona de nuestra parte hubiera sugerido cierta importancia especial de la 2.8 o hubiera parecido demasiado desesperado? Desde luego, era una posibilidad. Y ahora teníamos un problema grave.

SIN RECURRIR AL DINERO NI A LA FUERZA

La situación generó una angustia enorme —y cierta irritación— en nuestro bando. Después de un año de trabajar conjuntamente de buena fe, nuestro socio iba en este momento a secuestrar la valoración de nuestra empresa para arrancar algunas concesiones sobre el acuerdo comercial. Aparentemente teníamos pocas opciones, y ninguna era fantástica:

Una: Aceptar centrarnos en el acuerdo comercial. Podíamos empezar a negociar el acuerdo comercial (según lo solicitado por la otra parte) y confiar en alcanzar un acuerdo definitivo antes de finales de septiembre. Sin duda, era posible llegar a un acuerdo en cuatro o cinco semanas, pero eso era arriesgado, porque podríamos acabar haciendo concesiones desesperadas a finales de septiembre si todavía no hubiéramos cerrado un acuerdo.

Dos: Ser completamente sinceros. Tal vez estuviéramos suponiendo erróneamente que la otra parte conocía nuestro problema con la valoración o que tenían malas intenciones. Quizá solo se mostraran lentos en relación a la 2.8 porque les pareciera que carecía de importancia. De ser así, podríamos contarles nuestra situación con el inversor, y pedirles que firmaran la etapa para no ocasionarnos problemas. Esto también sería arriesgado: podría ser que todavía no tuvieran malas intenciones, pero revelarles que estábamos desesperados por que aprobaran la etapa podría tentarles a utilizar la situación como ventaja.

Tres: Jugar duro y exigir el acuerdo sobre la 2.8. Podríamos ser más agresivos y amenazar con abandonar la negociación del acuerdo comercial si no refrendaban la etapa 2.8. Esta también era una táctica arriesgada por razones evidentes, y onerosa para la relación. Además, abandonar de verdad no nos ayudaría con el problema de la devaluación.

Cuatro: Negociar con el inversor. En lugar de todo lo anterior, podíamos negociar con el inversor e intentar eliminar la cláusula de devaluación del pliego de condiciones. Podríamos argumentar legítimamente que ya no era un buen indicador de nuestro progreso y que podía costarle dinero a la empresa.

Las opciones uno, dos y tres eran arriesgadas. La opción cuatro, que fue la que nos decidimos a seguir, no estaba dando los resultados apetecidos. El inversor comprendió nuestro problema, pero aun así no se comprometió a cambiar la cláusula de valoración. Con todo, seguimos insistiéndole, esperando que, si las cosas se ponían feas a finales de septiembre, pudiera mostrar alguna flexibilidad. La mayoría de los integrantes del equipo era partidaria de que adoptáramos la opción uno —intentar cerrar el acuerdo comercial— y confiáramos en que todo saliera bien. La conducta de nuestro «socio» provocó una enorme frustración, aunque seguía mereciendo la pena llegar a un acuerdo.

Aunque *tal vez* hubiera otra salida.

La cuestión, según la veía yo, era que realmente no sabíamos qué problema se suponía teníamos que resolver. Dicho de otra manera: seguíamos sin comprender *por qué precisamente* se negaban a aprobar la etapa 2.8. Teníamos, sin duda, dos teorías razonables: (a) estaban actuando con mala intención y lo estaban utilizando como ventaja, o (b) simplemente no estaban centrados en el acuerdo de desarrollo conjunto y les parecía legítimamente que era el momento de ponerse con el acuerdo comercial. ¿Podría ser otra cosa? Habíamos probado a preguntarles en múltiples ocasiones por qué no daban su conformidad sin más, pero la respuesta siempre había sido en cierto modo vaga y sin ninguna referencia convincente al resultado del décimo análisis. Así que decidimos buscar las respuestas en otra parte. Invitamos a participar en la conversación a otras personas de nuestra empresa que tenían puntos de contacto con la empresa china, y les pedimos que celebraran con nosotros una lluvia de ideas. *¿Cuáles son todas las explicaciones posibles para su resistencia a aprobar la etapa 2.8?* Esta búsqueda más exhaustiva de respuestas aportó dos posibles motivaciones que todavía no habíamos considerado:

1. El verdadero problema podría estar en la *siguiente* etapa, la 2.9. Esta establecía que en cuanto la 2.8 estuviera concluida, se pondría en marcha un «reloj» para los chinos. Según este reloj, tenían exactamente 12 meses para tener su planta de producción lista para nuestro producto. *¿Era posible que fueran retrasados y estuvieran demorando la aprobación de la etapa 2.8 simplemente para ganar tiempo para la 2.9?* Si iban retrasados respecto al calendario previsto, esto supondría una gran presión sobre su ingeniero jefe. Casualmente, la aprobación de la 2.8 exigía la firma de tres personas de su empresa: el director general, un miembro del consejo de administración y el ingeniero jefe. Y había sido este, el ingeniero jefe, la persona que habíamos supuesto sería nuestro adalid para vender los resultados de las pruebas al consejo de administración, quien se había mostrado más reacio a dar el visto bueno.

2. Otra posible explicación podría ser la etapa 3.1, que establecía la obligación de realizar un pago. Dicha etapa se alcanzaría poco después de la 2.8, dado el carácter automático de la 2.9 y la facilidad de cumplimiento de la 3.0. Cuando eso sucediera, nos deberían otro pago de 2 millones de dólares. *¿Era posible que estuvieran haciéndose los remolones con la 2.8 para retrasar hacer un nuevo desembolso?* Con

anterioridad, la otra parte se había quejado de la frecuencia con que tenían que firmarnos cheques, sobre todo porque parecíamos suficientemente financiados y ellos seguían sin tener la garantía de que habría un acuerdo comercial.

Sin saber cuál de estos problemas resolver —y dado que la otra parte no habría admitido moverse por ninguna de tales motivaciones— decidimos resolver ambos. Pero resolver todos los problemas *de los chinos* no sería suficiente; también tendríamos que garantizar que corresponderían refrendando rápidamente la etapa 2.8. Así que nos dirigimos a ellos con una propuesta triple: (a) trabajaríamos conjuntamente para revisar las condiciones de pago y el calendario de doce meses, lo cual formulamos como una concesión a cambio de no haber superado suficientemente la décima prueba; (b) a cambio, aceptarían retrasar las negociaciones del acuerdo comercial hasta que estuviera aprobada la 2.8; y, por último, (c) si no recibíamos la aprobación el 15 de septiembre, nuestra empresa dejaría de trabajar con la suya hasta que la etapa 2.8 estuviera aprobada. En otras palabras, ofrecimos toda la flexibilidad que éramos capaces de mostrar para hacer frente a sus necesidades, a cambio de dejar a un lado el acuerdo comercial hasta que la etapa fuera aprobada. Fue un movimiento arriesgado, pero aceptaron la propuesta. En las semanas siguientes, alcanzamos un acuerdo sobre un plan de fraccionamiento de los pagos, revisamos un calendario con su ingeniero jefe y ofrecimos a algunos de nuestros ingenieros expertos para que les ayudaran a cumplir el plazo de doce meses para el inicio de la producción. Comparadas con lo que nos jugábamos con la valoración y el acuerdo comercial, las concesiones eran insignificantes.

En cuestión de semanas, las partes parecían estar en la misma onda; las relaciones mejoraron notablemente, todas las partes tenían la sensación de que sus problemas eran escuchados y no hubo más discusiones sobre la décima prueba. Pero surgió una última crisis. Los avances en todos estos frentes nos habían llevado hasta el 27 de septiembre, y todavía no teníamos la aprobación definitiva de la etapa 2.8. El retraso parecía deberse exclusivamente a cuestiones burocráticas: los chinos no tenían ni las personas ni la documentación en orden para la debida aprobación. Prometían enviar los documentos relativos en menos de dos semanas. ¿Y ahora qué?

Esa noche decidimos utilizar la última flecha de nuestro carcaj: *contárselo todo*. Le contamos a su director general lo del desencadenante de la devaluación y que a menos que nos dieran la aprobación inmediatamente, estaríamos en un tremendo apuro. ¿Por qué habríamos de hacer eso? ¿No era eso exactamente lo que no queríamos arriesgarnos a decirle? Volveré sobre nuestras razones para hacerlo enseguida; no fue por desesperación. Le dijimos al director general que aunque podríamos esperar a que la documentación oficial llegara más tarde, al día siguiente necesitábamos enseñar a nuestro inversor un correo electrónico de él que declarase inequívocamente que habíamos cumplido con las exigencias de la etapa 2.8. Incluso nos ofrecimos a escribir el texto del correo electrónico en su lugar; todo lo que tenía que hacer era copiar y pegar si estaba conforme. Nos envió el correo electrónico al día siguiente. La valoración estaba a salvo.

ANALICEMOS *TODAS* LAS EXPLICACIONES POSIBLES A LA CONDUCTA DE LA OTRA PARTE

Cuando la otra parte tiene mucho poder y parece dispuesta a recurrir a una conducta desaprensiva, nuestras opciones parecen limitadas. Ese era el mundo que creíamos habitar. Pero estábamos equivocados. En realidad, había numerosas opciones que nos pasaron desapercibidas a primera vista porque estábamos haciendo suposiciones inexactas sobre el problema subyacente. Nuestro punto de inflexión se produjo cuando decidimos desechar la suposición de que la otra parte actuaba con mala intención y pretendía sacarnos una ventaja ilícita. En vez de eso, limpiamos la pizarra (literalmente hablando: borramos lo que había en una de las que teníamos para dejar sitio a la lluvia de ideas) y nos hicimos la siguiente pregunta: *¿Cuáles son todas las explicaciones posibles a su conducta?*

Es fundamental que los negociadores investiguen qué factores, aparte de la mera incompetencia o las malas intenciones, podrían motivar a la otra parte a comportarse de una manera que parece agresiva, injusta, inmoral o irracional. Huelga decir que podríamos concluir, tras un exhaustivo examen, que realmente *van* a por nosotros, pero es mejor no empezar con semejante suposición. En muchos casos, hay otros factores en juego. En este caso, aunque no había nada honroso en obstaculizar la etapa 2.8 para conseguir mejores condiciones de pago o un calendario más fácil, incluso los miembros de nuestro equipo reconocían que era comprensible que a la otra parte pudiera parecerle justificado retrasar otro pago de 2 millones de dólares, dada la considerable inversión que ya habían realizado a cambio de tan poca cosa por nuestra parte. De igual manera, como algunos integrantes de nuestro equipo sugirieron, el ingeniero podría estar lógicamente preocupado porque el calendario se le antojara irrealizable desde el principio, y porque quizá tuviera poca fe en que a final del año le diéramos una oportunidad si se retrasaba respecto al calendario previsto. Podría estar utilizando el tecnicismo de nuestra décima prueba como una manera de ganar un tiempo que consideraba le debíamos legítimamente. Lo importante no era tanto lo legítimas que pudieran parecernos estas preocupaciones como cuánto se lo parecerían a ellos. Tan pronto como fuimos capaces de abrazar la posibilidad de que tuvieran otras motivaciones aparte de la pura codicia, dispusimos de más alternativas potenciales para resolver el conflicto.

Consideremos todas las explicaciones potenciales para la conducta de la otra parte. No empecemos dando por sentado la incompetencia o la mala intención.

LA IDENTIFICACIÓN DE LOS OBSTÁCULOS: PSICOLÓGICOS, ESTRUCTURALES Y TÁCTICOS

No toda negociación ha de acabar con un acuerdo. Si lo mejor que tenemos para ofrecer a la otra parte es peor que sus alternativas, no alcanzar un acuerdo es el resultado correcto. No alcanzar un acuerdo solo es trágico cuando somos los socios adecuados para el otro lado y se podría generar valor para todos, aunque algo se interpone en el camino para lograrlo. Del mismo modo que es importante considerar todos los factores que podrían motivar a la otra parte antes de entrar en cualquier negociación significativa, también lo es prever lo mejor que podamos todos los factores que podrían echar a perder el acuerdo. *¿Cuáles son los obstáculos para alcanzar el acuerdo?*

Hablando en términos generales, hay tres clases de obstáculos que los negociadores deben tener en cuenta:

Obstáculos psicológicos: Son los que existen en la mente de las personas, tales como la desconfianza, el orgullo, el rechazo por la otra parte, las emociones, las percepciones sesgadas de la justicia y el exceso de confianza.

Obstáculos estructurales: Son las barreras que se asocian con las «reglas del juego» tal como estén establecidas en el momento; por ejemplo: la premura de tiempo, la inadecuación de las partes sentadas a la mesa, la utilización de agentes cuyos incentivos no se ajusten a los nuestros, el exceso de atención mediática, la escasez de información disponible, los demás tratos y acuerdos que limitan nuestras opciones, etcétera.

Obstáculos tácticos: Estos surgen de las conductas y decisiones de cada parte, tales como el compromiso público con una postura que sea insostenible, las tácticas agresivas que provocan represalias, la atención excesiva a un tema y el no considerar todos los respectivos intereses, la decisión de intercambiar información, y así sucesivamente.

En las negociaciones complejas y las controversias difíciles, jamás preveremos todos los obstáculos ni es probable que eliminemos todos los que veamos, aunque proponerse esta labor puede mejorar sustancialmente nuestras probabilidades de éxito. Es mejor saber cuanto antes si necesitamos buscar la manera de superar la desconfianza, reunir más información, incorporar a otras partes a las negociaciones, negociar a puerta cerrada o prevenir la utilización de tácticas agresivas, que entrar a negociar con la fe ciega de que los acuerdos que son buenos para todas las partes siempre salen adelante. Cuanto más cuidadosos seamos valorando todas las dificultades a las que nos podemos enfrentar, y más exhaustivos en el examen de las diferentes herramientas y tácticas disponibles para abordarlos, más probabilidades tendremos de que nuestro empeño negociador tenga éxito.

Desde el principio y a lo largo de la negociación, verifiquemos los obstáculos psicológicos, estructurales y tácticos que puedan entorpecer el acuerdo.

TRABAJEMOS TODO EL CUERPO

Imaginemos que estamos en la calle y alguien nos ataca. Si nos parece que debemos contraatacar para defendernos, instintivamente podríamos cerrar el puño y darle un puñetazo en la cabeza al agresor. En el ardor del momento, podríamos tratar de hacer esto una y otra vez, utilizando un solo instrumento contra un único blanco. Aunque natural, puede que este no sea el planteamiento más efectivo, sobre todo contra un agresor competente. Por el contrario, lo que debemos hacer es «trabajarle todo el cuerpo». En lugar de centrarse estrictamente en un blanco, o de utilizar solo un método de ataque, los luchadores más experimentados considerarán el resto de sus instrumentos (dos manos, dos pies, rodillas, codos, objetos próximos que puedan utilizarse para defenderse, etcétera) y valoran todas las posibles zonas que podrían seleccionarse.

Lo mismo ocurre en las negociaciones y la diplomacia. Los negociadores eficaces *trabajan todo el cuerpo* al examinar la totalidad de los obstáculos que tienen que atacar y todos los instrumentos de los que disponen para hacerlo. En nuestras negociaciones, tuvimos que reflexionar sobre todos los *obstáculos* posibles para conseguir la aprobación de la etapa, como por ejemplo: el plazo de su ingeniero, la percepción de su director general de que no nos merecíamos más dinero sin firmar un acuerdo comercial y la previsión de la devaluación en nuestro pliego de condiciones. También tuvimos que pensar detenidamente en todas las *herramientas* que teníamos disponibles para atacar tales obstáculos, verbigracia: renegociar con nuestro inversor; incorporar a otras personas de nuestra empresa para que nos ayudaran a determinar las motivaciones de la otra parte; cambiar las condiciones de pago; utilizar nuestros recursos técnicos para resolver los problemas de ingeniería de los chinos, y echar mano de nuestra capacidad para amenazar con la separación si no daban la aprobación con la suficiente prontitud. No creo que hubiéramos tenido éxito si hubiéramos utilizado solo tácticas «duras» (amenazar con retirarnos) o si únicamente hubiéramos probado con tácticas «blandas» (ofrecer satisfacer sus necesidades sobre los pagos y el calendario). Necesitábamos una estrategia que combinara de manera efectiva varias tácticas.

Trabajemos todo el cuerpo. Analicemos todos los obstáculos, enfoquemos el problema desde todos los ángulos y utilicemos todas las herramientas a nuestra disposición.

IGNOREMOS LOS ULTIMÁTUMS

No es fácil valorar desapasionadamente todas las explicaciones posibles a la conducta hostil de la otra parte y tener la paciencia para trabajar el cuerpo entero. Esto es especialmente difícil cuando la otra parte está lanzando amenazas y conminaciones al mismo tiempo que sus acciones y exigencias agresivas.

Cada vez con más frecuencia, así en las grandes como en las pequeñas negociaciones, nos encontramos con ultimátums: afirmaciones tales como «Nosotros jamás...», «Bajo ningún concepto podemos...», «Ustedes deben...» o «Eso es imposible». En la inmensa mayoría de las situaciones, mi norma particular para enfrentarme a las conminaciones es en realidad bastante sencilla. Con independencia del tipo de negociación o de quién lance el ultimátum, lo más probable es que mi respuesta consista *sencillamente en ignorarlo*. No le voy a pedir a la otra parte que aclare a qué se refieren; no les voy a pedir que repitan lo que han dicho; ni es probable que responda o reaccione al ultimátum en sí. Antes bien, me comporto como si nunca se hubiera planteado. La razón es esta: al día siguiente, al cabo de una semana o puede incluso que meses o años más tarde, es posible que la otra parte caiga en la cuenta de que lo que dijeron en una ocasión que jamás podrían hacer es algo que *deben* hacer, o que lo que dijeron que no harían jamás es realmente lo que más les conviene *hacer*. Cuando llegue ese día, lo último que quiero es que recuerden haber dicho que no lo harían, ni que se preocupen de que ¡les vaya a recordar haberlo dicho! A ellos les resultará mucho más fácil cambiar de rumbo y evitar aferrarse a su antiguo ultimátum si por mi parte nunca le he dado ninguna importancia ni prestado atención. Lo que no quiero es verme en la situación de obligar a la otra parte a que escoja entre ceñirse a su ultimátum o hacer lo que más les conviene (y me conviene a mí también).

Como es natural, siempre hay una posibilidad de que su ultimátum sea real. ¿Es peligroso haberlo ignorado? En realidad, no. La cuestión es que si es un ultimátum real, no pararán de reiterarlo hasta la saciedad, en todo tipo de contextos y de todas las maneras posibles. Llegado el momento, y dependiendo de mi análisis de la persona y la situación, puedo decidir tomármelo en serio y aceptar que se trata de un verdadero obstáculo para la otra parte. Pero también es cierto que muchas de las conminaciones que se lanzan en las negociaciones no reflejan en absoluta ninguna «línea roja» ni ningún motivo de ruptura. A veces, la gente solo está enfadada o inquieta, y las palabras salen de su boca con más agresividad de la necesaria. En algunos casos la otra parte siente que se la ha estado intimidando durante demasiado tiempo y en ese momento simplemente intenta reivindicar algún control. Y hay veces, sobre todo en las negociaciones interculturales, en que no es más que un error en la forma en que se traduce el énfasis, o en que quizá haya diferencias en la manera en que las personas suelen comunicarse con firmeza. Pero en ocasiones solo estarán intentando subrayar que el asunto en cuestión es importante para ellos, o bien intentarán que les hagamos mayores concesiones. En todos estos casos, ignorar el ultimátum ayuda a evitar una situación en la que ambas partes acaben constreñidas por las palabras de la otra.

Ignoremos los ultimátums. Cuanta más atención les prestemos, más difícil le resultará a la otra parte retroceder si la situación cambia.

REFORMULACIÓN DE LOS ULTIMÁTUMS

Hay también una variante de la estrategia de «ignorar los ultimátums» que resulta bastante útil. En ocasiones, antes de ignorar la conminación, dedico un instante a *reformular el ultimátum como un no-ultimátum*. Por ejemplo, si alguien dice: «Seguramente no podamos hacer X», yo podría responder con lo siguiente: «Dado el estado de cosas *actual*, comprendo lo *difícil* que les resultaría hacer esto…» Al actuar así, he convertido su declaración absolutamente rígida en algo que es ligeramente más flexible. Eso les da entonces al menos dos salidas, si al final deciden que hacer X sería inteligente. Al reconocer que están limitados «dado el estado de cosas hoy» (no eternamente) y que les resultaría «difícil» (no imposible) cambiar, les hemos dejado abierta la opción de hacer X en un momento posterior o bajo unas condiciones contractuales ligeramente distintas.

---

*Reformulemos los ultimátums. Al hacerlo utilizando
un lenguaje menos estricto, facilitamos a la otra parte
que claudiquen más tarde.*

LO QUE NO ES NEGOCIABLE HOY PUEDE SERLO MAÑANA

Las situaciones cambian, y a veces surgen nuevas oportunidades. Lo que no es posible lograr hoy, tal vez sea posible de lograr en el futuro, pero tenemos que estar preparados para aprovechar la oportunidad. Recordemos que incluso nuestros mejores intentos de tratar las preocupaciones de la otra parte no resuelven por completo nuestro problema; faltando solo unos pocos días para que se cumpliera el plazo, tuvimos que decirle al director general de los chinos la razón exacta de que necesitáramos la aprobación de la etapa 2.8. ¿Por qué lo hicimos? ¿Fue porque ya estábamos desesperados y no teníamos más alternativas? No. A decir verdad, incluso faltando solo tres días, no estábamos *tan* desesperados porque ya habíamos tomado las medidas necesarias para asegurar que no pudieran utilizar nuestra necesidad de la aprobación de la 2.8 contra nosotros en las negociaciones del acuerdo comercial. Aquello formaba parte de nuestra estrategia desde el principio: dado que habíamos previsto la *posibilidad* de que un día necesitáramos revelar nuestro aprieto al director general, habíamos exigido que las negociaciones del acuerdo comercial se retrasasen hasta *después* de la aprobación de la etapa 2.8. En consecuencia, durante más de un mes no había habido ningún avance en relación al acuerdo comercial, y a las partes nos quedaban todavía muchas semanas por delante para poder concluirlo. Entonces, a falta solo de tres días para que venciera nuestro plazo, era imposible que su director general utilizara nuestro punto débil para sacar tajada en las negociaciones por el acuerdo comercial. La única razón para que quisiera retrasar la aprobación de la 2.8 en ese momento, sería solo la de causarnos un perjuicio sin obtener ningún beneficio material para sí, algo que difícilmente querría hacerle a su futuro socio.

Así las cosas, pudimos utilizar con seguridad la única opción que nos quedaba —la transparencia absoluta— solo porque nos habíamos encaminado cuidadosamente hacia ese posible final. Desde la primera sesión estratégica a primeros de agosto, y a lo largo de las negociaciones, jamás perdimos de vista el hecho de que la causa de que tuvieran ventaja sobre nosotros *no* era que necesitáramos que aprobaran la etapa 2.8. Tenían ventaja sobre nosotros porque necesitábamos la aprobación *y* tenían la posibilidad de utilizar esa información para apretarnos las clavijas en las negociaciones del acuerdo comercial. Si podíamos eliminar esa posibilidad, lo que hicimos retrasando las negociaciones sobre el acuerdo comercial, entonces les resultaría imposible utilizar la etapa 2.8 como un ascendiente sobre nosotros cuando se acercara la fecha límite.

En todo tipo de negociaciones es esencial no perder de vista la manera en que se va a desarrollar el entorno estratégico a lo largo del tiempo ni la forma en que podremos moldear su desarrollo. Recordemos: *Lo que no es negociable hoy puede serlo mañana.* Una táctica que no sea razonable utilizar al principio de la negociación, puede resultar segura o rentable en el futuro. Nuestra estrategia o análisis del primer día puede devenir irrelevante al segundo. Lo que la otra parte pudo no aceptar hace una semana tal vez resulte aceptable hoy. Su manera de ver el mundo mañana puede ser diferente a como lo ven hoy.

La forma en que la otra parte enfoque una negociación no solo es *probable* que cambie con el transcurso de las semanas, los meses y los años; también puede ser *moldeada* por las acciones que realicemos. Nos encontramos con una idea parecida anteriormente en el caso de la Crisis de los Misiles de Cuba. Como JFK recordó a su hermano Robert, tal vez no sea posible conseguir que el Congreso acepte nuestra línea de actuación hoy, pero eso no significa que su punto de vista no pueda modificarse en los días o semanas venideros. De manera parecida, en nuestro acuerdo con la empresa china, aunque nos pareció que era demasiado arriesgado ser transparentes el día uno, pudimos permitirnos serlo un mes más tarde porque habíamos modificado la posibilidad de la otra parte de sacarnos concesiones. Vemos la misma idea en las negociaciones del convenio colectivo de la Liga Nacional de Hockey de 1992. Aunque el éxito de los jugadores ese año se produjo a costa de las relaciones futuras, sí que pone de relieve la importancia de la elección del momento oportuno en las negociaciones. Los jugadores entendieron que el *cuándo negocies puede ser igual de importante que el cómo lo hagas*: en lugar de declarar una huelga al principio de la temporada, esperaron a utilizar la táctica a que las alternativas de la otra parte fueran relativamente más débiles.

No es suficiente con que empecemos entendiendo a todas las partes y sus puntos de vista; también tenemos que estar al tanto de si podrían, y cómo, verse influidas a lo largo del tiempo.

Lo que no es negociable hoy puede serlo mañana. Pensemos cómo configurar los incentivos y las opciones para todas las partes, en aras de hacer que los futuros intentos de negociación sean más fructíferos.

Eso sí, es posible que tus intentos de comprender el punto de vista de la otra parte, simplemente te confirmen que la otra parte está empeñada en su punto de vista. Hay ocasiones en que la perspectiva del otro lado está tan profundamente arraigada que es improbable que cambie y no haya posibilidad de influir en ella. En el capítulo siguiente, analizaremos una situación así y veremos algunas de las maneras en que aun así podría resolverse el estancamiento.

15
TRANSIGIR

Vender modernidad en Arabia Saudí

Corría el año 1965, y el rey Faisal de Arabia Saudí tenía un problema. Todavía reciente su entronización, ya se estaba empleando a fondo para emprender unas muy necesarias reformas económicas y sociales para su país. Uno de los elementos de tales reformas implicaba poner a disposición «de todos los ciudadanos medios inofensivos de entretenimiento». Como parte de su programa, el rey Faisal quería introducir la televisión en Arabia Saudí. El único problema era que no todo el mundo en el reino creía que la televisión fuera una tecnología tan inofensiva como se pretendía. Muchos conservadores religiosos consideraban a la televisión obra del demonio, lo cual, dependiendo de la clase de fanático con quien uno estuviera hablando del asunto, podía estar remitiéndose a tridentes y cuernos o a barras y estrellas. Fuera como fuese, ya se preveía una importante oposición religiosa a la tecnología. ¿Cómo se convence a la gente de que la televisión no es un instrumento de la acción del diablo? Por suerte para Faisal, no era el primer rey de Arabia Saudí que se topaba con este problema; su padre se había visto en apuros parecidos.

Era el año 1925 e Ibn Saud era el rey. Era un gobernante poderoso que, de hecho, había sido el unificador del reino de Arabia Saudí. También tenía el apoyo del clero. Sin embargo, Ibn Saud tuvo un problema. Había querido introducir la tecnología moderna en el país, en su caso, el telégrafo y la telefonía. La dificultad, como habrán supuesto, estribaba en que a ojos de algunos individuos influyentes y de mentalidad religiosa, la única explicación racional para la comunicación electromagnética era Satanás. En qué medida esto era un temor real y no sencillamente una manera de obstruir la modernización, es difícil de precisar. En cualquier caso, el rey se dio cuenta de que sería difícil realizar cualquier avance tecnológico sin vencer antes las preocupaciones del clero, con independencia de que aquellas tuvieran hondas raíces o simplemente lo fueran de cara a la galería. ¿Y ahora qué?

SIN RECURRIR AL DINERO NI A LA FUERZA

Ibn Saud decidió que la única manera de solucionar las objeciones de carácter religioso sería a *través* de la propia religión, y no sorteándola. Así que invitó a un grupo de líderes religiosos a palacio y a uno de ellos le pidió que sujetara un micrófono, mientras hacía que otro se situara en el otro extremo del artefacto tecnológico. Luego, pidió al primero que leyera un pasaje del Corán, el libro sagrado de los musulmanes. Mientras la voz era transmitida hasta el altavoz situado en el otro extremo, Ibn Saud expuso el argumento que acabaría con la discusión: si esta máquina fuera obra del diablo, ¿cómo sería posible que transportara las palabras del Corán?[1]

Ibn Saud debió quedar complacido con el resultado, porque un cuarto de siglo más tarde, en 1949, utilizó el mismo argumento

---

1. Larsson, Göran, «The Invisible Caller': Islamic Opinions on the Use of the Telephone», en *Muslims and the New Media Historical and Contemporary Debates*, Ashgate, Farnham, 2011.

cuando introdujo las emisoras de radio en Arabia Saudí. Para sofocar las preocupaciones de que la mano del diablo estuviera detrás del dial de la radio, la primera transmisión en salir al aire fue la de una lectura del Corán. Quizá por casualidad —o puede que como una táctica para apropiarse aún más de la perspectiva religiosa— la inauguración fue programada durante la temporada de la Haj (peregrinación sagrada musulmana).

Faisal podría haber hecho algo mucho peor que seguir el ejemplo del manual de estrategia de su padre. En 1965, en medio de las preocupaciones y protestas, la primera emisión televisiva de Arabia Saudí incluyó la lectura del Corán,[2] estableciéndose así el récord mundial del número de veces que un miembro de una misma familia había tenido que derrotar al demonio de la alta tecnología.[3]

TRANSIGIR

Soy un acérrimo defensor de buscar controlar la formulación en las primeras etapas de la negociación. Cuando tal cosa no es factible, aconsejo reformular la negociación lo antes posible. Pero a veces esto tampoco es viable. En ocasiones ya hay una formulación dominante, una perspectiva consolidada a través de la cual una o más partes ven la situación. Es posible que vayamos a entrar en una negociación o conflicto prolongado donde las partes tienen una perspectiva sobre los asuntos y sus opciones profunda-

---

2. «A Chronology: The House of Saud», *Frontline* PBS, http://www.pbs.org/wgbh/pages/frontline/shows/saud/cron/. Consultado el 25 de junio de 2015.

3. Esta historia tiene un epílogo tenebroso. A pesar del éxito del rey Faisal en introducir la televisión en su país, se sucedieron algunas protestas y revueltas. Entre los manifestantes estaba uno de los sobrinos del rey, el príncipe Khalid, que resultó muerto durante las protestas. Casi un decenio más tarde, en 1975, el hermano del príncipe Khalid asesinó al rey Faisal.

mente arraigada. Este podría ser el caso de la negociación en la empresa familiar, en los conflictos étnicos o incluso en entornos tan favorables como los que podrían darse en las relaciones comerciales sólidas y prolongadas con los vendedores, los clientes o los socios. Hay veces en que la fórmula dominante no se basa en un historial concreto de relaciones entre las partes, sino que más bien es reflejo de la influencia de la cultura u otros factores ambientales.

En situaciones así, tal vez resulte demasiado difícil o laborioso conseguir que la gente abandone o cambie su punto de vista. La reformulación puede no ser entonces una alternativa. Como ponen de relieve los ejemplos de la televisión/radio/telégrafo, cuando todo lo demás falla, ocasionalmente podemos superar la resistencia a nuestras ideas y propuestas *transigiendo*, a saber: comprendiendo y apropiándonos de la fórmula o punto de vista de la otra parte de manera que nos sea útil a nosotros. En el caso citado, cuando resultó evidente que la tecnología no sería juzgada como eficaz o ineficaz, sino más bien como buena o mala, el rey decidió dejar de oponerse a la fórmula y, en su lugar, adoptarla y reelaborarla para su propio uso. Hacerlo así significó garantizar que el resultado que deseaba fuera acondicionado de manera que se ajustara a los puntos de vista imperantes de cómo tenía que valorarse la «bondad». La transigencia es un principio que se suele analizar en las artes marciales: la idea es que puede haber una fuerza tremenda en *acompañar* —y quizá dejarse reorientar— en lugar de oponer resistencia a la energía o el ataque que se dirige hacia nosotros. De la misma manera, en las negociaciones, transigir significa «acompañar», y no «rendirse». Para hacerlo con eficacia se precisa que comprendamos clara y objetivamente la forma en que la otra parte ve la situación, así como los parámetros que utilizarán para valorar las ideas y las alternativas.

---

*A veces la mejor respuesta a un punto de vista
profundamente arraigado es transigir con él:
comprenderlo, adoptarlo y reutilizarlo de
manera que haga avanzar nuestra postura.*

TENDAMOS PUENTES PARA CONCILIAR
LOS PUNTOS DE VISTA CONTRAPUESTOS

Pero a veces no hay un punto de vista dominante, sino dos filosofías igual de fuertes que compiten por imponerse. Este puede ser el caso cuando ambas partes tienen sendos sólidos puntos de vista sobre la manera correcta de discutir o valorar los asuntos, y aparentemente unas maneras incompatibles de analizar el problema. En casos así, una posible solución es la de *tender un puente*, esto es: encontrar la manera de que una de las partes adopte la formulación de la otra sin perder por ello influencia, o proponer una nueva formulación que ambas puedan adoptar con seguridad.

No hace mucho, hablaba con el director de un colegio privado que se enfrentaba a un conflicto relacionado con el sueldo de los profesores. Los salarios de los docentes siempre se habían fijado fundamentalmente en función de la antigüedad: cuantos más años se llevara trabajando, mayores eran los emolumentos. En ese momento, un grupo de acaudalados donantes del colegio exigían un cambio al respecto. Los donantes deseaban un sueldo que se basara en el rendimiento antes que en la antigüedad, y habían planteado la propuesta de que parte de los haberes de los docentes se vincularan a aspectos tales como los resultados de los exámenes de los alumnos y las evaluaciones de los profesores de acuerdo con las visitas a clase del director. Los profesores, por su parte, no estaban dispuestos a ir en esa dirección, argumentando que la antigüedad era lo que había que recompensar, dado que los que tenían más años de experiencia eran mejores docentes. Los donantes, por su parte, se mantenían firmes en la idea del sueldo «en función del rendimiento». El director comprendía el punto de vista de ambas partes, aunque estas no se escuchaban, incapaces de ir más allá de la idea de la remuneración «según el rendimiento» frente al estipendio «según la antigüedad». Nadie estaba dispuesto a abordar los verdaderos detalles de ninguna propuesta. ¿Qué hacer?

Mi sugerencia fue plantear la idea de que, en realidad, no había ningún *desacuerdo* entre ambas partes acerca del criterio adecuado para determinar el salario. Cuando se analiza con detenimiento, es evidente que los profesores *están de acuerdo* en que un salario «en función del rendimiento» es un planteamiento correcto. La única diferencia entre ambas partes estriba en cuál es la mejor manera de *medir* el rendimiento. En efecto, los profesores habían manifestado sin cesar que los que aportaran más valor a los alumnos deberían cobrar más —lo cual parece un argumento a favor del criterio del rendimiento—, aunque sucedía que creían que el «número de años» es la mejor medida porque es objetiva, al contrario que la evaluación subjetiva del director. Por su parte, los donantes admitían que la antigüedad es la forma más fácil de medir, y también que la experiencia suele hacer mejores a los profesores, aunque discrepaban sobre hasta qué punto la efectividad es correlativa a la antigüedad. Si el director fuera capaz de conseguir que las dos partes reconocieran que el «criterio de la antigüedad» no es solo un razonamiento aceptable, sino de hecho el *único* expresado por las dos partes (sin tener necesariamente que utilizar estas palabras), ambas tal vez pudieran superar el punto muerto sobre el *razonamiento* del sueldo de los docentes y empezar a hablar del *fondo*. Por ejemplo, ¿cuáles son las concesiones mutuas cuando se escoge entre diferentes mediciones del rendimiento y todas son aceptables?[4] ¿Hay una combinación de mediciones que todas las partes podrían tolerar? Es indudable que unos y otros todavía tendrían que tratar de resolver qué importancia dar a las diferentes mediciones, pero reconocer que ya hay consenso sobre el prisma con el que considerar el problema, podría ayudar a las partes a superar su actual intransigencia, hasta cierto punto de corte ideológico, sobre los principios de partida.

Las perspectivas contrapuestas pueden ser salvadas si (a) una parte es capaz de adoptar la formulación de la otra sin sacrificar su capacidad para expresar las exigencias principales, o (b) ambas partes pueden ponerse de acuerdo en una nueva formulación que no confiera ventaja a ninguna.

TRANSIGIR CON LA PERSPECTIVA DE LA OTRA PARTE PUEDE FORTALECER NUESTRA VENTAJA

A veces la mejor manera de convencer a alguien de nuestro punto de vista es hablarle en su idioma. Esto no solo es más eficaz, sino que puede imprimir aún más fuerza a nuestras argumentaciones. Hay algo bastante irresistible en ser capaz de demostrar a alguien que nuestras exigencias siguen siendo legítimas «aunque aceptemos vuestro razonamiento preferido sobre cómo enfocar el problema». Por cierto, es probable que el rey Faisal estuviera pisando un terreno

---

4. El equilibro, en un sentido fácil, está entre la fiabilidad y la validez de las diferentes maneras de medir el rendimiento. Por ejemplo, la antigüedad podría ser más fácil de medir con precisión (fiabilidad alta), aunque solo está ligeramente relacionada con el rendimiento (validez baja). Las evaluaciones de los profesores, si se hacen bien, podrían estar más sólidamente relacionadas con el rendimiento (validez alta), aunque este sería difícil de medir con precisión e imparcialidad (fiabilidad baja). Los resultados de los exámenes de los alumnos podrían estar a medio camino entre la fiabilidad y la validez.

aún más firme que el que habría buscado inicialmente, cuando cambió de una formulación «tecnológica» a una formulación «religiosa». De igual manera, los profesores podrían tener una mayor influencia sobre los donantes y demás personas interesadas, si pudieran expresar su postura desde el punto de vista de la *necesidad de identificar los criterios adecuados de medir el rendimiento* en vez de desde el de la *legitimidad de la antigüedad*, ya que este último puede ser visto simplemente como una postura ideológica o egoísta.

Transigir con la formulación o perspectiva de la otra parte podría fortalecer nuestra influencia.

DEMOS EL CONTROL A LA OTRA PARTE... CON CONDICIONES

Transigir con la otra parte, por arriesgado que sea por las razones que analizamos cuando hablamos de la importancia de controlar la formulación, ocasionalmente puede ser la estrategia adecuada. Hace unos cuantos años, estábamos negociando con una corporación multimillonaria cuya marca es una presencia habitual en los hogares de todo el mundo. La empresa a la que estaba asesorando había sido fundada solo unos años antes, aunque estaba creciendo a pasos agigantados. La otra parte dejó claro que una de sus exigencias fundamentales era una cláusula de notificación: tendríamos que informarles de todas las ofertas de adquisición que recibiéramos en los siguientes años y darles tiempo a ellos para hacer una contraoferta. Era una preocupación comprensible: no querían despertarse un día y descubrir que habíamos sido comprados por alguien que quizá no quisiera continuar con la importante relación que estábamos estructurando.

Ahora bien, tal condición impondría unas limitaciones potencialmente onerosas a nuestra futura capacidad para vender la empresa al mejor precio posible. Por ejemplo, si este socio nos quisiera comprar —algo muy posible—, sabría si teníamos otros pretendientes y cuándo los demás posibles compradores incrementaban sus ofertas. Para empezar, y dependiendo de la manera en que fuera redactada la estipulación, también podría disuadir a otros potenciales adquirentes de hacer ofertas. Después de que varias de nuestras modificaciones a sus propuestas fueran rechazadas por diversas, y a veces imprecisas, razones, decidimos adoptar un planteamiento diferente. En lugar de hacer más propuestas, les dijimos que les dejaríamos que elaboraran *cualquier* estipulación de aviso que quisieran para proteger su inversión, *siempre y cuando* aquella se ajustara a dos principios: tendría que salvaguardar tanto la posibilidad de que *encontráramos al mejor ofertante posible*, como la posibilidad de que *sacáramos el precio más alto posible* en el supuesto de una futura adquisición. Si estas condiciones, que no tenían nada de irracionales, se satisfacían, aceptaríamos cualquier estipulación que redactaran. Si no podían cumplir esas condiciones, tendríamos que rechazar su propuesta.

Ya con la pelota en su tejado, y planteadas nuestras exigencias con total claridad, la otra parte no solo suavizó sus términos sino que propuso nuevas variantes. Al no provenir de nosotros la propuesta, ya no estaban a la defensiva. Lo que finalmente se les ocurrió resultó aceptable para ambas partes y el acuerdo siguió adelante. El principio básico que seguimos fue el que defiendo a veces cuando, puestas sobre la mesa unas preocupaciones legítimas por ambas partes, el avance ha sido lento: *concede el control a la otra parte, pero deja claras tus condiciones*. Esta sencilla estrategia:

- muestra empatía por sus preocupaciones, permitiendo que se centren en encontrar soluciones, antes que en una defensa constante;

- aclara a la otra parte lo que es y no importante para nosotros, haciendo que su vida sea más fácil;

- evita que ambas parte se «adueñen» y aferren a su idea o enfoque preferido;

- ayuda a encontrar una solución, fomentando múltiples y a menudo creativas propuestas.

Si nuestras propuestas están siendo rechazadas pero las preocupaciones de la otra parte parecen legítimas, procuremos concederle la labor de estructurar el acuerdo, aunque aclarando las condiciones que deben cumplir.

En la mayoría de las negociaciones que he analizado hasta ahora, nos hemos centrado en la importancia de comprender a la parte que se sienta en el otro lado de la mesa. Pero puede que haya *muchas* partes y *muchas* mesas que sean relevantes para alcanzar nuestros objetivos. Por ejemplo, en nuestras negociaciones con la empresa china, también tuvimos que tener en cuenta el punto de vista del inversor; en la Crisis de los Misiles de Cuba, el ExComm tuvo que comprender las perspectivas de la Unión Soviética, pero también considerar a Cuba; James Madison tuvo que estructurar un proceso que produjera mejores resultados no solo en Filadelfia, sino también en los numerosos debates subsiguientes que tendrían lugar en los diferentes estados. En el siguiente capítulo estudiamos la importancia de comprender los puntos de vista de *todas* las partes que sean importantes para la negociación. Los negociadores eficaces tienen en cuenta a todos los actores.

16

DELINEAR EL ESPACIO DE NEGOCIACIÓN

La negociación de la compra de Luisiana

Pocos serán los que afirmen haber oído hablar alguna vez del *Tratado preliminar y secreto entre la República Francesa y Su Majestad Católica el Rey de España, concerniente al engrandecimiento de su Alteza Real el Infante Duque de Parma en Italia y la retrocesión de la Luisiana.*[1] Y, sin embargo, este tratado, firmado entre Francia y España en 1800, no tardaría en desempeñar un importante papel en la historia. En virtud de este tratado, España devolvía a Francia el inmenso territorio de Luisiana en Norteamérica que Francia le había cedido en 1763, después de que esta fuera derrotada en la guerra franco-india.

Durante las negociaciones entre España y Francia, el embajador de Napoleón supuestamente dio «las garantías más solemnes» de que Francia no vendería ni cedería el territorio de Luisiana a ningún otro país, sino que se lo devolvería a España si Francia quisiera desprenderse de él. Cuando Napoleón decidió cambiar de opinión y vender el territorio a los Estados Unidos, pilló por sorpresa a los españoles, a los norteamericanos e incluso a muchas personas de Francia. En 1803, los Estados Unidos de América

---

1. El tratado es más conocido como el *Tercer Tratado de San Ildefonso.*

compraron el territorio de la Luisiana a Francia aproximadamente por 10 centavos la hectárea. Con esta adquisición, los Estados Unidos duplicaron su tamaño, al adquirir una superficie que constituiría en todo o en parte el territorio de 15 futuros estados.

Los españoles se enfurecieron y alegaron que «la venta de esa provincia a los Estados Unidos se basa en la violación de una promesa tan absoluta que tendría que ser respetada», y pidieron a los Estados Unidos «suspender la ratificación y los efectos de un tratado que tiene semejante fundamento.»[2] Los norteamericanos interpretaron aquello como una razón más que suficiente para acelerar la ratificación y cerrar el trato antes de que las cosas se aclarasen. El secretario de Estados Unidos para Francia, Robert Livingston, escribió al secretario de Estado James Madison: «Debería haberle mencionado que tengo fundadas razones para creer que la cesión española contenía un acuerdo de no desprenderse de Luisiana a favor de ninguna otra potencia, lo cual he sabido por un conducto que considero fiable, y aunque esto no afectará a nuestro derecho, debería acelerar las medidas para hacer uso del Tratado.»[3]

Aunque la cuestión de si Francia tenía derecho a vender ha sido analizada por los historiadores por varios motivos, a Madison la argumentación de España le pareció débil: «La promesa hecha por el embajador francés de que no debería llevarse a cabo ninguna enajenación, no formaba parte del Tratado de Retrocesión a Francia y, de haber sido así, no podría tener efectos sobre la

2. Martínez de Yrujo, Carlos, *To James Madison from Carlos Martínez de Yrujo, 27 September 1803*, National Archives: Founders Online, *Madison Papers*, http://founders.archives.gov/documents/Madison/02-05-02-0470. Consultado el 25 de junio de 2015.

3. Livingston, Robert, *To James Madison from Robert. R. Livingston, 11 July 1803*. National Archives: Founders Online, *Madison Papers*, http://founders.archives.gov/documents/Madison/02-05-02-0204. Consultado el 25 de junio de 2015.

compra por Estados Unidos, que la hizo de buena fe sin recibir aviso previo por parte de España de ninguna condición semejante».[4] Más aun, los norteamericanos estaban convencidos de que España no intentaría impedir la venta por la fuerza. Un problema mayor para los Estados Unidos era la posibilidad de que Francia se arrepintiera de la venta, como pusieron de manifiesto los intentos franceses de incluir aparentemente condiciones de última hora y complicar y retrasar la conclusión del acuerdo.[5] De hecho, Napoleón llevaba tiempo queriendo que Francia conservara el territorio, como demuestran sus palabras: «He demostrado la importancia que atribuyo a esta provincia, puesto que mi primer acto diplomático con España tuvo como objeto recuperarlo. Si renuncio a él, es con el mayor de los arrepentimientos: pero obstinarse en intentar retenerlo a toda costa sería una locura.»[6] ¿Por qué, entonces, se desprendió del territorio de Luisiana?

SIN RECURRIR AL DINERO NI A LA FUERZA

¿Por qué los *franceses* habrían de vender a los *norteamericanos* un territorio reivindicado por los *españoles*? En pocas palabras, por culpa de los *británicos*. Francia estaba en guerra con Inglaterra.

---

4. Madison, James, *From James Madison to Robert R. Livingston, 6 October 1803*, National Archives: Founders Online, *Madison Papers*. http://founders.archives.gov/documents/Madison/02-05-02-0504. Consultado el 25 de junio de 2015.

5. Livingston, Robert y James Monroe, *To James Madison from Robert R. Livingston and James Monroe, 7 June 1803*. National Archives: Founders Online, *Madison Papers*, http://founders.archives.gov/documents/Madison/02-05-02-0085. Consultado el 25 de junio de 2015.

6. Barbé-Marbois, François, *The History of Louisiana*, Carey & Lea, Filadelfia, 1830, pp. 298-299, http://www.napoleon.org/en/reading_room/articles/files/louisiana_hicks.asp. Consultado el 25 de junio de 2015.

Si todo discurría exactamente como estaba planeado, Francia podría negociar con los británicos además de tomar posesión de Luisiana. En ese momento esto no parecía probable. Una sublevación de los esclavos contra Francia en lo que es actualmente la isla de Haití y la República Dominicana —además del mal tiempo que mantenía a los barcos franceses atrapados en las aguas heladas de Europa— agotaron los recursos necesarios para evitar la amenaza creciente de Inglaterra. Para agravar aún más los problemas de Francia, existía el riesgo de que si intentaban retener Luisiana, los Estados Unidos decidieran aliarse con Inglaterra en contra de ellos. Y la razón de esto hay que buscarla en el hecho de que el territorio de Luisiana incluyera a Nueva Orleans, que era de una gran importancia estratégica para los Estados Unidos. Que estuviera en manos de Napoleón era causa de una enorme inquietud para los norteamericanos. En carta dirigida a Robert Livingston, el presidente Thomas Jefferson escribió:

> La cesión de la Luisiana y las Floridas a Francia por parte de España afecta de manera muy grave a los Estados Unidos... De todas las naciones de cierta consideración, Francia es la única que hasta la fecha ha planteado menos asuntos sobre los que podríamos tener algún conflicto de derecho, y con el que más comunión de intereses hallaríamos en numerosas cuestiones. Por todo ello siempre lo hemos considerado nuestro amigo natural, alguien con quien jamás podríamos tener motivos de diferencias. Por consiguiente, sentimos su expansión como propia, sus desgracias como nuestras. En todo el globo hay un único lugar, cuyo poseedor es nuestro enemigo natural y habitual. Se trata de Nueva Orleans, a través de la cual debe salir al mercado la producción de las tres octavas partes de nuestro territorio, y por su fertilidad no pasará mucho tiempo antes de

que produzca más de la mitad de toda nuestra producción y albergue a más de la mitad de nuestros habitantes. Al colocarse en esa puerta, para nosotros Francia asume una actitud de desafío. España podría haberla conservado pacíficamente durante años... Por lo que no puede estar jamás en manos de Francia... tales circunstancia hacen imposible que Francia y los Estados Unidos puedan seguir siendo amigos durante mucho tiempo, cuando los franceses se encuentran en una posición tan irritante. Además, tienen que estar ciegos si no ven esto; y nosotros deberíamos ser muy imprevisores si no empezamos a tomar medidas sobre esa hipótesis. El día que Francia tome posesión de Nueva Orleans... A partir de entonces debemos casarnos con la flota y la nación británicas... No es este un estado de cosas buscado ni deseado por nosotros. Es uno al cual esta medida, si es adoptada por Francia, nos obliga, con la misma perentoriedad que cualquier otra causa, y por las leyes de la naturaleza, a llevar a sus últimas consecuencia... [Francia] no la necesita [Luisiana] en tiempo de paz. Y en caso de guerra, no podría depender de esos territorios porque serían interceptados fácilmente. Debería suponer que todas estas consideraciones podrían, de la forma que fuera adecuada, someterse a juicio del gobierno de Francia... Si, no obstante, Francia considera a la Luisiana indispensable según sus puntos de vista, tal vez pudiera estar dispuesta a buscar arreglos que se reconciliaran con nuestros intereses. Si algo podría lograr esto sería cedernos la isla de Nueva Orleans y las Floridas. Esto, sin duda, eliminaría en buena medidas las causas de discordia e irritación entre nosotros... Y en cualquier caso, nos eximiría de la necesidad de adoptar medidas inmediatas para compensar semejante operación buscando acuerdos en otra parte... Ahora mismo, en Estados Unidos todas las miradas están atentas a este asunto de la Luisiana. Puede que desde la guerra de la

Independencia nada haya producido más inquietud en todo el conjunto de la nación.[7]

La delegación norteamericana fue a negociar con los franceses; para su sorpresa, fueron recibidos por una delegación de Napoleón que quería venderles *todo* el territorio. Era evidente que había algo más detrás de aquella oferta que la mera necesidad de evitar que los Estados Unidos se aliaran con Inglaterra, lo cual podría haberse conseguido renunciando sin más a Nueva Orleans. El principal factor que determinó la decisión de Napoleón tal vez haya sido su temor a que todo el territorio de Luisiana pudiera caer en manos británicas si Francia era derrotada en la guerra. Era mejor entregárselo a los norteamericanos que a los británicos, razonó Napoleón, y si hacerlo fortalecía a Estados Unidos y daba a los británicos más problemas con los que lidiar en el futuro, miel sobre hojuelas. Como Napoleón explicó a uno de sus ministros: «No conservaremos una posesión que no estará segura en nuestras manos, y que quizá pueda ser causa de enfrentamiento con los norteamericanos o de que tal vez se muestren fríos conmigo. Por el contrario, la utilizaré para que se unan a mí y provocar que rompan con los británicos, y crearé unos enemigos a estos últimos que un día nos vengarán. Mi decisión está tomada. Entregaré Luisiana a los Estados Unidos».[8]

Inesperadamente se les estaba ofreciendo a los norteamericanos más de lo que habían esperado o estaban siquiera preparados

---

7. Jefferson, Thomas, *From Thomas Jefferson to Robert R. Livingston, 18 April 1802*, National Archives: Founders Online, *Jefferson Papers*. http://founders.archives.gov/documents/Jefferson/01-37-02-0220. Consultado el 25 de junio de 2015.

8. Thiers, Adolphe, *Histoire du Consulat*, Livre XVI, marzo 1803. http://www.napoleon.org/en/reading_room/articles/files/louisiana_hicks.asp. Consultado el 25 de junio de 2015.

para negociar. Después de cerrar el acuerdo en un proceso improvisado con una dudosa autoridad constitucional, James Monroe escribió a James Madison:

> Podíamos haber obtenido una parte del territorio que jamás habríamos imaginado en lograr entero; pero la decisión del cónsul era la de vender la totalidad, y no conseguimos que cambiara de idea al respecto. Tan especialmente crítico era también el momento, por culpa de la presión de Inglaterra... que nos pareció indispensable, para poner las circunstancias a nuestro favor, satisfacer a este gobierno en la medida propuesta y concluir el tratado con ellos en las condiciones que tenemos sin demora. No tengo ninguna duda de lo ventajoso de las negociaciones para los Estados Unidos. No me sorprenderá oír que muchos de esos que estaban dispuestos a zambullirse en una guerra por una ínfima parte de lo que se ha obtenido, adopten ahora otra postura y clamen contra el gobierno y sus agentes por conseguir demasiado. Pero el vocerío no les aprovechará; les deshonrará. Hemos conseguido más de lo que declaraban desear, más de lo que habían pensado, y a un precio muy inferior al que estaban dispuestos a entregar para la pequeña parte que esperaban conseguir.[9]

Y así fue cómo tuvo lugar el mayor acuerdo territorial de la historia entre un país que tenía una cuestionable autoridad legal para vender y otro que tenía una cuestionable autoridad legal para comprar.

---

9. Monroe, James, *To James Madison from James Monroe, 14 May 1803.* National Archives: Founders Online, *Madison Papers,* http://founders.archives.gov/documents/Madison/02-04-02-0717. Consultado el 25 de junio de 2015.

PENSEMOS TRILATERALMENTE

El resultado que consigamos dependerá de lo cuidadosos que seamos al analizar la importancia de *todas* las partes afectadas por una negociación. Un error habitual en las negociaciones es el de pensar en las relaciones *bilateralmente*, esto es, el de centrarnos solo en nuestra relación con la parte que se sienta enfrente de nosotros a la mesa. Por ejemplo, durante las negociaciones, los norteamericanos podrían haber valorado solo las dinámicas de la relación franco-norteamericana. De acuerdo con esta forma de pensar, los Estados Unidos podrían haber imaginado que los franceses no ofrecerían nada o, en el mejor de los casos, estarían dispuestos a ceder solo Nueva Orleans. También podían haber supuesto que si adquirir Nueva Orleans era posible, lo sería a un alto precio, porque Napoleón valoraba sobremanera aquella posesión.

Como hemos visto, el análisis de la negociación cambia cuando las partes piensan *trilateralmente*, a saber: cuando valorar no solo la relación que las partes tienen entre sí, sino las relaciones que cada una tiene con otras partes. Una vez que consideramos la relación entre Inglaterra y Francia, la conducta de los franceses se vuelve menos sorprendente. Y se hace aún más comprensible cuando seguimos analizando la relación entre los Estados Unidos e Inglaterra en relación a los franceses.

Ocioso resulta decir que podemos seguir adelante y estudiar el valor del análisis «cuadrilateral» o «pentagonal», aunque la cuestión esencial sigue siendo la misma: la insensatez es considerar únicamente la relación —e imaginar solo sus posibilidades— que existe en la relación directa entre las partes sentadas a la mesa. Los negociadores que analizan la importancia de las terceras partes y calculan su impacto en aquellos que están en la mesa, están mejor preparados para prever la conducta de la otra parte y elaborar estrategias de manera óptima.

Pensemos trilateralmente: determinemos de qué manera las terceras partes influyen o alteran los intereses, limitaciones y alternativas de los que se sientan a la mesa.

DELINEAR EL ESPACIO DE NEGOCIACIÓN

Cuando presto asesoramiento en acuerdos o conflictos, una de las primeras cosas que hago en nuestra reunión estratégica es pedirle a mi cliente que delinee el *espacio de negociación*. El espacio de negociación está constituido por *todas las partes que son importantes para la negociación*. Por «importante» me refiero a una de estas dos cosas: (a) cualquier parte que pueda influir en el acuerdo, y (b) cualquier parte que resulte influida por el acuerdo. Si hay partes que pueden influir en el acuerdo, querré analizar si nosotros o los otros, y cuándo y con qué capacidad, podríamos beneficiarnos de incorporarlas al proceso (o de mantenerlas fuera). Si existen partes que resulten influidas por el acuerdo que estamos negociando, también quiero estar atento a ellas, porque probablemente tengan algún incentivo para realizar movimientos que pudieran tener un impacto en nuestra estrategia y resultados.

En el caso de la compra de Luisiana, el espacio de negociación estaba constituido no solo por Estados Unidos, Inglaterra, Francia y España, sino también por las personas que en realidad estaban tomando las decisiones. Las empresas y los países no toman decisiones, las personas sí. Napoleón no es lo mismo que «Francia». El espacio de negociación también estaba integrado por los legisladores de los Estados Unidos que podrían facilitar u obstaculizar el acuerdo, y por los esclavos de Haití y sus opresores, porque cualquier modificación en el desenlace de aquella sublevación podría influir en que Francia siguiera temiendo perder la guerra contra Inglaterra. Cuanto más «nos alejemos» para ver la negociación en el contexto general, más exacta será nuestra comprensión del probable comportamiento de la otra parte, y más probabilidades tendremos de revisar prudentemente nuestra estrategia cuando se produzcan acontecimientos relevantes en alguna otra parte del espacio de negociación. Al mismo tiempo, no delinear y analizar el espacio de negociación nos deja en una situación de vulnerabilidad, porque perdemos las oportunidades cuando surgen y somos incapaces de ver todos los obstáculos a los que nos enfrentamos o todas las herramientas de las que disponemos.

Delineemos el espacio de negociación.
Nuestra estrategia debería tener en cuenta a todas las partes que puedan influir en el acuerdo o verse influidas por él.

EL ANÁLISIS ICAP: INTERESES, CONSTRICCIONES, ALTERNATIVAS Y PERSPECTIVAS

Cuando se trata de comprender a las otras partes del acuerdo, ¿qué es exactamente lo que debemos comprender de ellos? He creado un esquema (ICAP) que nos ayuda a organizar nuestro pensamiento en torno a cuatro elementos esenciales: intereses, constricciones, alternativas y perspectiva de cada parte. He aquí la clase de preguntas que suscita cada uno de estos factores:

- **Intereses:** ¿Qué valoran las otras partes? ¿Qué es lo que quieren y por qué? ¿Cuáles son sus prioridades relativas?

¿Por qué están haciendo este acuerdo? ¿Por qué ahora y no el mes pasado o el año que viene? ¿Qué es lo que les preocupa? ¿Qué objetivos están intentando alcanzar con esta negociación? ¿Es probable que sus intereses cambien con el paso del tiempo? Y si es así, ¿cómo?

• **Constricciones:** ¿Cuáles son las cosas que pueden y no pueden hacer? ¿En qué cuestiones tienen más o menos flexibilidad? ¿En qué cuestiones tienen las manos completamente atadas? ¿Qué es lo que está causando que estén constreñidos? ¿Cómo podrían cambiar sus constricciones con el tiempo? ¿Hay otras partes en su lado con quien pudiéramos negociar y que estuvieran menos limitados?

• **Alternativas:** ¿Qué les sucede si no hay acuerdo? ¿Sus opciones externas son fuertes o débiles? ¿Es probable que sus alternativas mejoren o se deterioren con el tiempo? ¿Cómo podrían moldearse sus alternativas?

• **Perspectiva:** ¿Cómo están viendo este acuerdo? ¿Cuál es su disposición de ánimo? ¿Dónde encaja esta negociación dentro de la cartera de acuerdos que están realizando? ¿Este es de una prioridad alta o baja para ellos? ¿Están pensando estratégica o tácticamente? ¿A corto o a largo plazo? ¿Esta negociación está ocupando una parte grande o pequeña de la atención de su organización?

Un análisis ICAP al comienzo de las negociaciones —y su actualización a medida que avanza el acuerdo— puede ser esencial. Cuanto mejor entendamos los *intereses* de la otra parte, más probabilidades tendremos de poder estructurar acuerdos que generen valor para todas las partes y desatascar la situación. Comprender las *constricciones* es importante porque habrá ocasiones en que no será posible que obtengamos siquiera las concesiones que nos merecemos, ya que la otra parte tiene realmente atadas las manos en esas áreas. En tales situaciones, tendremos más posibilidades de alcanzar nuestros objetivos si sabemos lo que se puede o no conseguir y qué tipo de estructura contractual es viable. Cuanto más detenidamente hayamos valorado sus *alternativas*, mejor comprenderemos el valor que estamos aportando a la mesa y la ventaja que tenemos. Por último, cuando comprendemos la *perspectiva* —psicológica, cultural u organizativa— con la que están enfocando este acuerdo, estamos mejor situados para prever la clase de obstáculos que pueden surgir. También tenemos más probabilidades de tomar las medidas que puedan ayudar a remodelar su perspectiva y la hagan más favorable a una negociación productiva y eficaz.

> *El análisis ICAP: examinemos los intereses, las constricciones, las alternativas y las perspectivas de todas las partes que integran el espacio de negociación.*

LA ACCIÓN LEJOS DE LA MESA

James Sebenius y David Lax, autores de *Negociación tridimensional*, destacan la importancia de las tácticas que tienen lugar «lejos de la mesa». Como ilustran correcta y exhaustivamente, suele haber ocasiones en que nuestra capacidad para influir en el acuerdo a través del compromiso directo con la otra parte es limitado. Sobre todo en casos así, deviene esencial analizar la importancia que otros integrantes del espacio de negociación podrían tener en nuestra estrategia. Como en el caso de los intereses norteamericanos en el territorio de Luisiana, la mayor fuente de ventaja de uno puede no tener nada que ver con las medidas tradicionales de fuerza (la voluntad de Estados Unidos de entrar en guerra con Francia), y sí todo con las dinámicas en otras partes del espacio de negociación (acentuar los temores de los franceses provocados por una rebelión de esclavos en Haití y el mal tiempo en Europa).

La enseñanza de la compra de Luisiana puede haber sido incluso más sencilla para los norteamericanos del siglo XIX: esperemos a que los británicos les den un susto de muerte a nuestros enemigos y estemos atentos para recoger los restos. Los franceses no fueron los únicos en ser víctimas de esta dinámica. En el período subsiguiente a la finalización de la Guerra de Crimea (1853-56), en la que Rusia había sido derrotada por una alianza integrada por Inglaterra, Francia y el Imperio Otomano, el zar Alejandro II empezó a temer que pudiera perder el control de los dominios rusos en Alaska en una futura guerra con Inglaterra. Al igual que Napoleón medio siglo antes, el razonamiento del zar fue que era mejor que el territorio fuera a parar a los norteamericanos a cambio de algún dinero, que a manos de los británicos de balde. Cuando finalmente se llevaron las negociaciones materiales en 1867, los norteamericanos aceptaron comprar el territorio. Para no ser superado por su predecesor en el cargo, el secretario de Estado William Seward hizo la compra de la inmensa región por un precio de 5 centavos la hectárea.[10]

---

10. A pesar del aparente bajo precio, muchos consideraron el bien comprado como un inútil y lejano trozo de tierra. Los detractores lo llamaron el «disparate de Seward». Hasta más avanzado el siglo XIX no se descubrió el oro en el territorio. En la década de 1960, se descubrió petróleo.

Cuando se trata de evaluar la acción que tiene lugar lejos de la mesa y cómo puede influir en la negociación, merece la pena hacer tres valoraciones:

Valoración estática: ¿Cómo influye la *existencia* de terceras partes en los intereses, constricciones, alternativas y perspectivas de todas las partes de la negociación?

Valoración dinámica: ¿Cómo va *cambiando* la influencia de la tercera parte con el tiempo? Esto es, ¿las alternativas de la otra parte están mejorando o empeorando? ¿Las constricciones se están endureciendo o flexibilizando? ¿Están evolucionando los intereses?

Valoración estratégica: ¿Cómo podríamos colaborar con las terceras partes para *influir* en la negociación? ¿Podrían estar dispuestas a presionar a la otra parte? ¿Podrían estar de acuerdo en subvencionar el acuerdo? ¿Hacer un trato con una tercera parte cambiaría las dinámicas de poder a nuestro favor?

A veces podemos aprovechar la existencia de terceras partes para alcanzar nuestros objetivos (estática). En otras ocasiones, nuestro éxito depende de que preveamos un panorama de cambio (dinámica). Y además están las situaciones en las que debemos colaborar activamente con las terceras partes para crear las condiciones para el éxito (estratégica).

Nuestro análisis y enfoque debería tener en cuenta las posibilidades estáticas, dinámicas y estratégicas de sacar provecho de las terceras partes.

ESTEMOS PREPARADOS PARA LA BUENA SUERTE

No está del todo claro si los negociadores de Estados Unidos estaban pensando trilateralmente y tenían una estrategia fantástica o si simplemente tuvieron buena suerte. Aunque algunos han elogiado este acuerdo como la mayor contribución del presidente Jefferson a los Estados Unidos, y otros han encomiado el precio notablemente bajo conseguido por los norteamericanos, también existen interpretaciones menos laudatorias del acontecimiento. El enemigo político del presidente Jefferson, Alexander Hamilton, consideraba que el resultado había tenido más que ver con la buena suerte y la elección del momento oportuno que con una negociación astuta:

Esta compra ha sido hecha durante el período de la presidencia del señor Jefferson y, sin duda, dará esplendor a su administración. Pero todo hombre que posea un mínimo de franqueza y reflexión estará dispuesto a reconocer que la adquisición se ha debido exclusivamente a la fortuita concurrencia de unas circunstancias tan imprevistas como inesperadas, y no a ninguna medida enérgica o sensata por parte del gobierno norteamericano. Al mortífero clima de Santo Domingo y al valor y obstinada resistencia ofrecida por sus habitantes negros les debemos los obstáculos que retrasaron la colonización de Luisiana hasta el momento preciso, cuando la ruptura entre Inglaterra y Francia dio un nuevo giro a los proyectos de esta última y destruyeron al mismo tiempo todos sus planes en cuanto a este predilecto objeto de su ambición.[11]

---

11. Hamilton, Alexander, *Purchase of Louisiana, 5 July 1803*. National Archives: Founders Online, http://founders.archives.gov/documents/Hamilton/01-26-02-0001-0101. Consultado el 25 de junio de 2015.

Puede que Hamilton tuviera algo de razón. Pero eso no significa que, cuando surgió la oportunidad no se hubiera podido echar a perder. Hay ocasiones en que nos merecemos que se nos reconozca haber actualizado nuestra estrategia con eficacia en tiempo real, cuando la influencia de los elementos lejanos del espacio de negociación se hizo patente. Hay ocasiones en que lo más importante que un negociador puede hacer es estar logísticamente preparado, políticamente organizado y psicológicamente dispuesto para cerrar el acuerdo cuando los astros estén alineados y la elección del momento sea acertada. Si no se han realizado los preparativos previendo que finalmente pudiera darse una coyuntura favorable, se podría perder esa oportunidad. Cuanto antes lleve uno a cabo un análisis exhaustivo del espacio de negociación, y cuanto antes valore todas las herramientas para el tira y afloja necesario para modelar el acuerdo, más probable es el éxito, incluso cuando el desenlace no sea visible desde el principio.

Hay que estar preparados para la buena suerte.
Estemos psicológica, organizativa y políticamente
preparados por si se diera una coyuntura favorable
para la negociación o la diplomacia.

LA MEJORA DEL POSICIONAMIENTO Y LA CREACIÓN DEL VALOR DE OPCIÓN

Cuando el espacio de negociación es grande, el camino a seguir largo, y es difícil prever cuál será el proceso para llegar al acuerdo, los negociadores suelen sentir que «prepararse para la buena suerte» es solo una bonita manera de decir «espera a tener suerte». En consecuencia, adoptan un enfoque táctico a corto plazo para la negociación y no crean las condiciones necesarias para lograr los objetivos a largo plazo. La suposición tácita es que es inútil elaborar estrategias cuando el futuro es incierto y hay demasiados factores que se escapan a nuestro control. Tal cosa es un error. Cuando alcanzar un acuerdo se antoja una esperanza lejana y nada de lo que podamos hacer hoy garantizará el éxito, en su lugar es aconsejable pensar en cómo podemos *mejorar el posicionamiento y crear el valor de opción.*

Para *mejorar el posicionamiento*, verificamos la debilidad de nuestra actual capacidad negociadora y tomamos medidas para ir reduciendo esos problemas. De esta manera, estamos mejor situados para la negociación si surgiera una oportunidad. Por ejemplo, podríamos necesitar reforzar nuestras opciones externas, formar coaliciones, fortalecer el valor de nuestra oferta, fomentar la confianza, etcétera.

Si el problema es que tenemos unas opciones estratégicas limitadas (p. ej., demasiadas pocas vías que conduzcan al éxito) podríamos invertir en *crear un valor de opción*: adoptar medidas costosas hoy que generarán grados adicionales de libertad en el futuro. Por ejemplo, podríamos crear canales no oficiales con una organización terrorista aunque no haya ningún deseo de negociar y estemos llevando a cabo una agresiva campaña militar; esto es costoso y arriesgado, pero crea la opción de negociar en el futuro si nuestros cálculos cambian.

Para apreciar el valor de mejorar la posición y crear un valor de opción aunque no haya un acuerdo a la vista, pensemos en el proceso de negociación que dio lugar al fichaje de la estrella del baloncesto James Harden por los Houston Rockets. En un intercambio sencillo, haríamos un movimiento: por ejemplo, dar al otro equipo algunos de nuestros jugadores a cambio de entregarnos al que preferimos.[12] Pero si no tenemos lo que quiere el otro equipo, quizá necesitaríamos hacer unos cuantos movimientos para mejorar primero nuestra posición. En el caso de los Houston Rockets, en una estrategia que se desarrolló a lo largo de *cinco años* e implicó *14 movimientos distintos*, el director general Daryl Morey reunió los activos necesarios —la combinación adecuada de jugadores profesionales y talentos aficionados seleccionados en el draft— para obtener a James Harden de los Oklahoma City Thunder. Cuando llegó el momento de negociar en 2012, Houston pudo ofrecer a Oklahoma City dos jugadores profesionales (uno adquirido por intercambio, y el otro en una selección del draft que fue adquirido a su vez por intercambio), un seleccionado en la primera ronda del draft que pertenecía a Dallas, otro más en primera ronda que pertenecía a Toronto y un tercero seleccionado en segunda ronda que pertenecía a Charlotte. Cuando todo terminó, Houston había adquirido a uno de los mejores talentos jóvenes de la liga.

---

12. Un poco de información sobre cómo funcionan estos tratos: dada las numerosas limitaciones para que los equipos utilicen dinero para hacer traspasos en la Asociación Nacional de Baloncesto (NBA), uno no puede extender sin más un gran cheque para conseguir al jugador que se quiere de otro equipo. En vez de eso, hay que estructurar un intercambio. Uno básico implicaría a dos equipos, cada uno de los cuales ofrecería un jugador que el otro quiere. Si no se tiene ningún jugador que quiera el otro equipo, una opción es incluir a un *futuro jugador* en el trato: el equipo X ofrece un jugador que va a adquirir en el futuro («un seleccionado del draft») a cambio de un jugador que se quiere ahora. Una segunda alternativa consiste en incluir a un *jugador de otro* en el acuerdo. El equipo X quiere a un jugador del equipo Y, pero no tiene nada de valor para darle a este último. Así que el equipo X encuentra a un equipo Z que tiene un jugador que sí querrá el equipo Y; X hace un intercambio con Z para conseguir el jugador, y luego lo utiliza para lo que quiere de Y. Otra opción más es combinar estas primeras dos alternativas: conseguir los *futuros jugadores de otros*. Por ejemplo, X llega a un acuerdo con Z por uno de sus novatos del draft y lo incluye en el acuerdo con Y. Las cosas se complican aún más cuando añades otras normas, tales como el techo salarial del equipo y el impuesto de lujo, las cuales limitan lo que un equipo puede pagar en total a sus jugadores, en un año dado, sin incurrir en fuertes multas.

Ni siquiera Daryl Morey, que negoció el acuerdo, sabía exactamente adónde llevarían con certeza todos los movimientos. Fichar a Harden era *un* final posible, pero había otras jugadas y oportunidades que podrían haber surgido en el marco de las maniobras preparatorias. ¿Así que solo fue suerte? ¿O fue una estrategia perfectamente planeada? Ni lo uno ni lo otro. Al recordar su actuación, Morey reflexionó sobre cómo había mejorado su posicionamiento y creado un valor de opción al incrementar las probabilidades de un resultado satisfactorio:

En cada operación, busco inclinar las probabilidades a nuestro favor todo lo posible, tanto en relación al movimiento hecho en el momento como también de cara a la infinidad de posibles resultados que se puedan dar en el futuro. Cada movimiento en el traspaso de Harden se hizo con el propósito en mente de conseguir el traspaso de una superestrella de su calibre. Cada movimiento actuó de consuno para incrementar no solo el valor de lo que podíamos intercambiar, sino también la combinación de lo que podíamos intercambiar. Al terminar, teníamos unos jugadores que podían ayudar a un equipo a ganar ahora o en el futuro. Hicimos unas selecciones en el draft con una diversidad de riesgos y recompensas. Así, pudimos ahorrar un margen significativo sobre el techo salarial del equipo. Los ahorros en el techo salarial terminaron no formando parte del intercambio, pero estábamos preparados por si lo hubieran sido... Una vez que aceptas que no tienes todas las respuestas y que todo consiste en inclinar las probabilidades a tu favor, eso facilita realmente cosas tan fantásticas como este traspaso así.[13]

---

13. Daryl Morey, comunicación personal con el autor, 2015.

Que el futuro sea incierto y haya muchas cosas que no podamos controlar, no quiere decir que no podamos adoptar un punto de vista estratégico a largo plazo. En las negociaciones prolongadas y especialmente difíciles, tenemos que estar dispuestos a realizar sacrificios inteligentes a corto plazo e incluso a tomar medidas que parecen contraproducentes, salvo por el hecho de que no perdemos de vista cómo los sacrificios de hoy nos ayudarán a crear y aprovechar las oportunidades que surjan en el futuro.

> *Cuando no hay ninguna posibilidad de llegar hoy a un acuerdo, debemos prepararnos para las oportunidades que surjan en el futuro con unos movimientos que mejoren el posicionamiento y creen un valor de opción.*

NO NOS APRESUREMOS A ADOPTAR UNA ESTRATEGIA GANADORA

Como hemos visto, algunas personas reaccionan a la complejidad y la incertidumbre suponiendo que es aconsejable tener una estrategia. Otras cometen un error distinto: se apresuran a adoptar una estrategia *antes de lo que es necesario o aconsejable*. Esto sucede incluso cuando no existen razones objetivas para sacrificar la flexibilidad estratégica y resulta razonable mantener abiertas múltiples opciones. De acuerdo con mi experiencia, cuando hay múltiples opciones encima de la mesa (por ejemplo, estrategias diferentes, o la posibilidad de llegar a diferentes acuerdos) y el debate continuado no ha conseguido identificar un ganador claro, llega un momento en que las personas se cansan de las deliberaciones y surge la necesidad psicológica de poner cierre. De resultas de ello, en la sala se produce un cambio interesante y potencialmente peligroso: tan pronto como una de las opciones toma algún impulso, la gente deja de discutir los pros y los contras de cada una de las opciones racionalmente. Por el contrario, empiezan a sopesar los factores que favorecen la opción preferida en ese momento y a buscar selectivamente los «contras» de la que tenga menos apoyo. Esto pone de manifiesto lo que los psicólogos han denominado *sesgo de confirmación*. Dado que la gente quiere poder dedicar toda su atención y entusiasmo a un enfoque, y empezar a implantarlo, ya no valoran todas las opciones con la imparcialidad y exhaustividad que deberían.

Hay, además, un factor organizativo que agrava este sesgo psicológico. Las diferentes estrategias, o los distintos tipos de acuerdos, a menudo exigen que empleemos recursos distintos, incorporemos personas diferentes y gastemos distintas clases de capital social y político. En consecuencia, una vez que hemos avanzado demasiado en una dirección, cambiar resulta difícil. Llega un momento en el que simplemente hay demasiado impulso organizativo y demasiada inversión en una estrategia concreta hacia una línea de actuación; un cambio es psicológica, organizativa y políticamente complicado.

Durante la Crisis de los Misiles de Cuba, el presidente Kennedy fue tajante en cuanto a que ninguna opción fuera desechada siquiera fuera un segundo antes de lo necesario. Incluso después de que quedara claro que la estrategia gradual (cuarentena, formación de coalición y negociación) era más sensata que la opción agresiva (ataques militares), el presidente pidió que se siguieran perfeccionando todas las opciones *como si* cada una fuera a ser la estrategia escogida. En realidad, hasta el último momento antes de dirigirse a la televisión nacional para anunciar la línea de actuación que tenía previsto seguir, JFK hizo que se le preparasen a fondo dos discursos, por si alguna información o análisis de última hora sugería que estaban siguiendo la estrategia equivocada. Según los documentos que se pusieron a disposición del público hace solo unos pocos años, si hubiera sido necesario un cambio de estrategia, las siguientes habrían sido las primeras frases de su alocución:

> Mis queridos compatriotas, con gran pesar, y en el inexcusable cumplimiento del juramento de mi cargo, he ordenado —y las Fuerzas Aéreas de Estados Unidos ya han llevado a cabo— unas operaciones militares con armamento convencional exclusivamente, para eliminar un número considerable de armas nucleares establecidas en suelo cubano.[14]

Hasta el último momento, el presidente estuvo preparado psicológica, organizativa y políticamente para cambiar de rumbo si se encontraba un planteamiento más acertado.

Evitemos escoger una estrategia ganadora antes de lo necesario. Mantengamos abiertas las opciones y estemos preparados —psicológica, organizativa y políticamente— para cambiar de rumbo.

En este capítulo, hemos examinado una serie de entornos complejos en los que no podemos controlar gran cosa. Como hemos visto, incluso a pesar de la incertidumbre, es posible elaborar estrategias con eficacia; podemos mejorar nuestra posición, crear un valor de opción y conservar encima de la mesa todas las opciones hasta que alcancemos una mayor claridad o se nos obligue a decidirnos. También hemos visto que tenemos más probabilidades de desatascar la situación y resolver los

---

14. Keating, Joshua, «The Greatest Doomsday Speeches Never Made», *Foreign Policy*, 1 de agosto de 2013.

conflictos si delineamos el espacio de negociación, pensamos trilateralmente y reflexionamos sobre la manera de aprovechar la acción que tiene lugar lejos de la mesa de negociaciones.

Aun así, a veces las situaciones más difíciles no son las más complejas. En ocasiones una situación es difícil *porque* es demasiado sencilla: el espacio de negociación ya está bien entendido, y nadie más se va a apresurar a sacarnos del apuro o proporcionarnos la ventaja que necesitamos; no existe la opción de prepararse para la buena suerte porque se ha acabado el tiempo y, para terminar de complicar las cosas, la otra parte tiene todos los triunfos y no está de humor para tratarnos con amabilidad. Nuestras opciones son escasas, ninguna buena y están empeorando. ¿De qué herramientas disponemos? ¿Cómo ayuda la empatía en este caso? Vayamos a averiguarlo.

17

SOCIOS, NO ADVERSARIOS

Atrapados entre dos fuegos

No hace mucho, un próspero empresario («Sam») que había sido alumno mío se encontró en el trágico final de un auténtico revés de la fortuna.[1] Todo había empezado tan bien. Un año antes había recibido la llamada de uno de los mayores minoristas de Estados Unidos, preguntándole si estaría interesado en conseguir aumentar sus ingresos. No había truco ni cartón. El minorista había decidido cambiar de proveedores de un tipo único de prenda de vestir, y el nuevo proveedor era una empresa asiática que operaba fuera del país. El minorista jamás había trabajado con dicha empresa y se ponía en contacto con mi alumno para pedirle ayuda. Sam ya tenía una buena relación comercial con el minorista, y aunque tampoco conocía a los asiáticos, estaba familiarizado con el paisaje fabril donde estaba situada la empresa. El minorista quería que la empresa de Sam actuara de intermediaria entre ellos y la asiática. Por apenas ninguna otra labor que coordinar la compra y la venta del producto, él recibiría un porcentaje por cada transacción realizada. Si todo iba bien, la empresa de Sam podía ganar más de un millón de dólares anuales, una cantidad considerable de dinero para él.

---

1. Algunos detalles de este ejemplo han sido cambiados para proteger el anonimato de las personas y empresas involucradas. La esencia de la historia y la importancia de las enseñanzas no han variado.

La alegría no duró demasiado. Pocos meses después de iniciarse la relación, Sam recibió una carta de un fabricante norteamericano. En ella, se alegaba que, al fabricar aquella ropa, la empresa asiática había violado la patente del fabricante norteamericano. Dada la naturaleza de la relación entre las partes, el fabricante norteamericano iba a demandar al minorista, a la empresa norteamericana y a Sam. Eso sí, estaban dispuestos a llegar a un acuerdo extrajudicial, aunque reclamaban un pago descomunal. Desde el punto de vista legal, el minorista estaba en una posición segura y no tenía ningún aliciente para negociar. Por cuestiones prácticas, no se podría obligar fácilmente a la empresa asiática a pagar por vía judicial. Así las cosas, el único que se quedaba directamente en el punto de mira era mi alumno. Y el fabricante norteamericano iba a ir a por Sam con todo lo que tenía, porque no se trataba solo de la violación de una patente. El fabricante había sido el que había provisto originalmente al minorista de aquella prenda, hasta que la empresa asiática había entrado en escena y ofrecido un precio más barato que ellos. No estaban contentos.

Sam no quería pagar millones en un acuerdo, pero tampoco quería meterse en una batalla legal. Así que decidió ponerse en contacto con sus aliados en todo aquel enredo, con la esperanza de que uno o ambos estuvieran dispuestos a contribuir económicamente para ayudarle a resolver el asunto. La empresa minorista se mostró muy comprensiva y se condolió de que Sam se hubiera visto arrastrado a aquella situación, pero aunque le ofrecieron declarar en su favor en un procedimiento legal, no estaban dispuestos a aportar ningún dinero. La empresa asiática alegó que no había ninguna violación de patente, por lo que no había ningún motivo para que ofrecieran dinero, algo fácil de decir para ellos, dado que estaban fuera del alcance de la ley. Sam estaba solo. Pidió a sus abogados que se pusieran en contacto con el fabricante norteamericano y les explicaran que, aunque a todas luces aquel asunto no era culpa suya, estaba dispuesto a llegar a un acuerdo por unos pocos cientos de miles de dólares, un gesto de buena voluntad encaminado a ayudar a que todos evitaran los tribunales. No dio resultado. Acabaron en los juzgados.

Después de siete meses y 400.000 mil dólares en honorarios legales, el tribunal dictaminó a favor del fabricante norteamericano. Sam tenía que pagar casi 2 millones de dólares, lo cual equivalía a cuatro veces lo que había obtenido del acuerdo antes de que se hubiera suspendido a causa de la demanda. Sus únicas opciones a la sazón eran no pagar el dinero, apelar la sentencia o volver a intentar llegar a un acuerdo extrajudicial. Pagar sería sumamente gravoso. Un acuerdo extrajudicial sería aún más difícil que la última vez, teniendo en cuenta la victoria judicial del fabricante. Los abogados creían que apelar era lo más lógico, aunque no ocultaron que Sam no tenía muchas posibilidades de éxito. ¿Qué camino tomar? Ya has perdido una vez en los tribunales, la otra parte tiene la ventaja, te enfrentas a una pérdida multimillonaria, ninguno de tus aliados acude en tu ayuda y la otra parte de la contienda parece sedienta de sangre. ¿Y ahora qué?

SIN RECURRIR AL DINERO NI A LA FUERZA

Tal como Sam cuenta la historia, un buen día estaba sentado pensando cuando tuvo la idea: *¿Qué aconsejaría mi profesor de negociaciones?* No tardó mucho en dar con la respuesta. *Busca el resultado con mayor valor previsto.* En otras palabras, dados los intereses, constricciones y alternativas de todas las partes, ¿qué enfoque o resultado generaría el máximo valor en esta situación? *Antes de preocuparte demasiado sobre la forma de conseguirlo,* *decide primero cuál sería el acuerdo óptimo.* Así que empezó a delinear el espacio de negociación y a pensarlo bien.

Al principio de todo, la relación del minorista con cada una de las tres partes había sido como sigue:

	Relación con el minorista	Producto a vender	Mejor socio para el minorista
Fabricante norteamericano	Buena	Caro	Sí
Empresa asiática	Ninguna	Barato	No
Alumno	Buena	Ninguno	No

Después de que la empresa asiática rebajara el precio del fabricante norteamericano con la ayuda de mi alumno, la situación cambió:

	Relación con el minorista	Producto a vender	Mejor socio para el minorista
Fabricante norteamericano	Buena	Caro	No
Empresa asiática	Ninguna	Barato	No
Alumno	Buena	Ninguno	No
Empresa asiática + alumno	Buena	Barato	Sí

Una vez que se descubrió la violación de patente por parte de la empresa asiática, y después de que el fabricante norteamericano demandara a las otras tres partes, las cosas volvieron a cambiar. La relación del fabricante norteamericano con el minorista era ahora mala, y el producto de la empresa china ya no era viable para su venta en Estados Unidos.

	Relación con el minorista	Producto a vender	Mejor socio para el minorista
Fabricante norteamericano	Mala	Caro	No
Empresa asiática	Mala	Ninguno	No
Alumno	Fantástica	Ninguno	No
Empresa asiática + alumno	Confusa	Ninguno	No

El resultado que maximizaba el valor estaba empezando a aclararse. El fabricante norteamericano tenía capacidad para exprimir y sacarle el dinero a Sam, pero había un bote de dinero aún mayor que en ese momento no figuraba en la ecuación integral: ninguno podía vender ningún producto al minorista. La demanda judicial podía reportarle unos pocos millones de dólares al fabricante norteamericano, pero se estaban destruyendo muchos más millones en valor porque nadie tenía la combinación necesaria de activos: una buena relación con el minorista más un producto para vender. Pero había solo una posible entidad que podía poner ambos activos sobre la mesa: esa sería la *colaboración entre el fabricante norteamericano y Sam*. ¿Podría funcionar eso?

Sam llamó al director general de la empresa fabricante de Estados Unidos y le dijo que estaba a punto de coger un avión para ir a verle. «Tengo una idea que me gustaría explicarle. Si no puedo convencerle en veinte minutos, cogeré el avión de vuelta de inmediato.» El director general consintió en reunirse con él. Camino de la reunión, mi alumno también llamó a sus contactos con el minorista para explicarles a grandes rasgos lo que pensaba proponer. Le dieron el visto bueno para que intentara estructurar un acuerdo así.

En el despacho del director general, Sam expuso su análisis y la idea. El minorista jamás compraría directamente a una empresa que lo había demandado, pero el producto patentado del fabricante era bueno, y no había un proveedor que lo sustituyera. Sam tenía una buena relación con la empresa minorista, por no hablar de que esta se sentía en deuda con él por haberle hecho pasar por una prueba tan terrible. Sam podía ejercer de intermediario entre el fabricante y el minorista. Aquel tendría que hacer unas pocas concesiones a este para suavizar la situación, pero era posible llegar a un acuerdo. Las dos partes hicieron números, regatearon un poco y entonces llegaron al siguiente acuerdo: (a) Sam pagaría al fabricante unos pocos cientos de miles de dólares por adelantado, en parte para resarcirle de los gastos judiciales; (b) Sam se convertiría en el intermediario exclusivo entre el fabricante y el minorista; esto supondría un par de millones de dólares para su empresa en los siguientes años; (c) Sam se convertiría en el distribuidor exclusivo del fabricante norteamericano en el extranjero, otra valiosa conquista en su haber.

Las tres partes dieron el visto bueno al acuerdo, y el revés de la fortuna había sido invertido de nuevo.

SOCIOS, NO ADVERSARIOS

Cuando alguien te demanda, ¿cómo es probable que lo consideres? La mayoría de las personas ven a esa persona como un enemigo, o al menos como un adversario. Es algo comprensible, aunque potencialmente peligroso, porque solemos pensar y actuar de manera diferente en función de cómo veamos a la persona del otro lado de la mesa. Normalmente tenemos un bajo índice de tolerancia, menos esperanza y una reducida disposición a relacionarnos constructivamente con nuestros enemigos. Y esta tendencia puede salirnos cara a todos, a nosotros y a ellos.

En la escuela donde practicaba artes marciales, durante las clases no era infrecuente oír a los alumnos hacer preguntas de

esta índole: ¿Y si tu adversario es más grande? ¿Y si tu adversario
te agarra así? ¿Y si tu adversario...?

Tales intervenciones invitaban siempre a nuestro instructor a
hacer una advertencia: «Son socios, no adversarios», corregía a sus
alumnos cada vez que utilizaban la palabra «adversario» para describir a las personas con la que estuvieran practicando en clase.
«Recordad que las personas con las que os entrenáis están ahí para
ayudaros a aprender. ¿Cómo aprenderéis de ellos si los veis como
adversarios?» Con frecuencia, iba aún más allá: «Hasta la persona
que os ataque en la calle es vuestro socio. ¿Cómo os acordaréis de
mantener la calma o de intentar resolver la situación sin luchar, si
lo veis como un adversario?»

Lo mismo sucede en los estancamientos y en los conflictos
desagradables. Como la experiencia de mi alumno pone de relieve,
puede ser un peligro ver a los demás de manera unidimensional, y
sobre todo etiquetarlos como adversarios o enemigos. Si encasilla-
mos a alguien en función de su conducta previa, es posible que
perdamos las oportunidades que surgen cuando el juego cambia.
En este caso, el fabricante norteamericano empezó siendo un extra-
ño, se convirtió en adversario y acabó como aliado. La empresa
asiática pasó de ser un activo estratégico a convertirse en un lastre
legal en cuestión de meses. Puede que el mayor obstáculo para resolver el problema de Sam haya sido la incapacidad —al principio— para ver que las situaciones cambian y que la gente puede
superar su etiqueta.

Las etiquetas pueden proporcionar unos medios eficaces de
describir a alguien («ella es mi competidora»), pero por fuerza
son incompletas y limitadas. Siempre es mejor recordar que las
personas con las que tratamos no son competidores, aliados,
enemigos o amigos; son solo *personas* que, al igual que nosotros, tienen intereses, constricciones, alternativas y perspectivas. Como negociadores, nuestra labor consiste en comprender

estos factores y abordar la situación en consecuencia. En mis negociaciones, sigo encontrando útil mantener la etiqueta de *socio* para todo el mundo (ya estén actuando como «amigo», ya como «adversario»), porque eso me recuerda que tenga empatía, esté abierto a la posibilidad de colaboración hasta en las relaciones más difíciles y me libre de las suposiciones sobre lo que es o no posible.

Veamos a la otra parte como un socio, no como un adversario, independientemente del tipo o grado de conflicto. Es difícil empatizar o colaborar con los «adversarios».

BUSQUEMOS LAS MANERAS DE CREAR VALOR

En el mundo empresarial, los negociadores hablan con frecuencia de «crear valor». Esta es una forma de recordar que puede haber maneras de mejorar el acuerdo para todos, o al menos de intentarlo para alguna persona sin dañar a los demás. Sin duda, los negociadores deberían procurar mejorar los acuerdos y crear más valor. Después de todo, ¿preferirías estar discutiendo sobre cómo repartir cien o doscientos dólares? Es más fácil encontrar una solución, por no decir que es más rentable, cuando hay más que ganar llegando a un acuerdo, o más que perder si no lo hay.

El mismo principio rige en todas las negociaciones, o sea, en todas las áreas de las relaciones humanas. Los negociadores deberían dedicarse a crear valor ya estén negociando las condiciones de un acuerdo, enfrentándose a un callejón sin salida o solucionando un conflicto desagradable. En las situaciones relativamente sencillas es fácil ver lo que se necesita para crear valor. Por ejemplo, en la NFL o la NHL, creamos valor cuando ponemos fin a un huelga o un cierre patronal, porque solo jugando los partidos podemos aportar dinero al sistema (de los espectadores, anunciantes, etcétera) que podemos compartir. Para lograr esto tenemos que resolver algunos problemas enrevesados, tales como ponerse de acuerdo en el reparto de los ingresos, pero ahora tenemos claro en qué dirección deberíamos movernos.

Esto no es tan fácil cuando la situación es compleja: cuando hay muchas partes, muchos intereses divergentes, intuiciones encontradas sobre la estrategia adecuada o falta de claridad incluso sobre cuál debería ser el objetivo. Así, ni siquiera era evidente lo que Sam debía intentar conseguir. ¿Minimizar el coste del acuerdo extrajudicial? ¿Encontrar la manera de ganar el juicio? ¿Apelar a la buena voluntad del fabricante? ¿Dejarlo en manos de los abogados? ¿Encontrar la manera de presionar a la empresa asiática?

En situaciones así, una manera eficaz de aclarar los objetivos y decidirse entre las alternativas es preguntarse: *¿Cuál sería la solución con más valor previsto?* Centrarse inmediatamente en este principio ayudó a desplazar la atención de mi alumno hacia la idea de que quizá fuera posible hacer que todos salieran beneficiados y de que era una imprudencia empezar suponiendo que el conflicto era una situación de suma cero. Pensar desde el punto de vista de la creación de valor también contribuyó a aumentar la serie de opciones visibles. Entre otras cosas, el establecimiento de una relación comercial con las personas que nos están demandando es algo meditado, a menos que estemos buscando desapasionadamente crear valor en cualquier situación. Una vez más, en esto vemos la utilidad de considerar a todas las demás partes como *socios, no adversarios*, en el procedimiento. Cuando los vemos como nuestros socios, tenemos más probabilidades de identificar e implantar unas soluciones para el problema que creen valor.

> *Empecemos preguntándonos:*
> *¿Cuál sería el resultado con mayor valor previsto?*
> *¿Hay maneras de crear valor?*

PARA EMPEZAR, IMAGINEMOS LO IMPOSIBLE

Una de las razones por las que las personas no se centran en descubrir el valor es que la situación parece imposible. Ya están tan seguras de que no hay una *buena* solución que no consideran la posibilidad de que haya una *fantástica*. Esta forma de pensar a veces se puede cambiar. Uno de mis alumnos del programa para directivos era el presidente de una empresa familiar. Su padre, que poseía el 90 por ciento del negocio, seguía participando activamente, aunque estaba oficialmente jubilado. Tras años de conflicto sobre pequeñas y grandes cuestiones, el hijo había decidido hablar con su padre sobre cómo salir adelante, dada la mala situación y su progresivo empeoramiento. El padre no paraba de anular las decisiones del hijo y se metía en asuntos sobre los que no disponía de información suficiente. También estaba dificultando que su hijo pudiera salir de su sombra y fuera visto como legítimo presidente a ojos de los empleados y los clientes. La conversación tenía todos los visos de ser desagradable. La situación había llegado a un punto en el que al hijo le parecía que tendría que abandonar el negocio o pedirle a su padre que se fuera, y pasara lo que pasase, esperaba que hubiera ira, resentimiento y un posible empeoramiento del conflicto. Sentía pánico por lo que se avecinaba. No estaba seguro de cómo iniciar la conversación, qué temas plantear y ni siquiera cuál era el desenlace que deseaba.

Después de oír su historia y su previsión de desastre, la primera pregunta que le hice fue: ¿Hay alguna posibilidad de que ambos salgáis de la conversación *más contentos* de lo que estuvierais antes de hablar? Se quedó en silencio. Entonces me dijo que jamás había considerado esa posibilidad. Así que le dije: «Imagina un mundo en el que los dos estéis encantados de haber tenido la conversación. Y ahora descríbeme una imagen. ¿Qué aspecto tendría ese mundo?» Y luego la conversación siguió por otros derroteros. Mi cliente empezó a hablar de cómo podría haberse sentido su padre cuando pensó en jubilarse al cabo de lustros de levantar una empresa. Me contó con pena el poco tiempo que pasaban juntos fuera del trabajo porque ninguno de los dos quería más peleas. Se preguntó si su padre también estaría anhelando tener esa conversación. Seguía sin estar seguro de cuál sería la solución correcta, aunque tenía mucha más confianza en que podría acudir a la reunión con una mentalidad abierta y mantener una conversación que pudiera crear valor. Ignoro cómo acabó esta historia en particular, pero antes de que mi alumno abandonara el curso de directivos para regresar a su negocio, me dijo que estaba deseando ver a su padre y hablar con él.

El mismo enfoque también puede ser útil cuando nos enfrentamos a la intransigencia. En los acuerdos comerciales, por ejemplo, cuando la otra parte dice que algo no se puede hacer, o cuando son incapaces de aceptar nuestras peticiones, podría decirles a todos lo que le dije a mi alumno: «Imaginen un mundo en el que pudieran decir "sí". Y descríbanme una imagen. ¿Qué aspecto tendría ese mundo?» Esto contribuye a que la conversación cambie de lo que no se puede hacer a las razones de que no se pueda hacer. Hay ocasiones, especialmente cuando parece no haber probabilidades de alcanzar un acuerdo, en que incluso las personas que expresan una negativa no se han parado a pensar detenidamente en aquello exactamente que les permitiría aceptar lo que en ese momento es inaceptable. Huelga decir que a veces estas conversaciones siguen desembocando en un callejón sin salida.

Pero en otras ocasiones, plantean preocupaciones u obstáculos que realmente somos capaces de tratar de unas maneras que la otra parte no habría sospechado. Como poco, aclaramos lo que tenemos que cambiar si queremos reconsiderar la posibilidad de un acuerdo en el futuro.

> *Pidamos a la gente que imaginen un mundo en el que lo aparentemente imposible sucede de verdad. Luego, pidámosles que nos describan el aspecto que tendría ese mundo.*

Viendo a la otra parte como un socio y no como un adversario, centrándonos en el principio de creación de valor y presionando a los demás para que se enfrenten a sus propias suposiciones de lo que es posible, aumentamos las posibilidades de superar el punto muerto y resolver el desagradable conflicto. Como es natural, quizá sigamos necesitando derribar obstáculos, controlar el procedimiento, ayudar a la otra parte a vender el acuerdo y así sucesivamente, pero tendremos una mejor comprensión de adónde nos dirigimos y qué medidas tenemos que tomar.

Termino esta sección con algunas reflexiones sobre las que muchos considerarían son las situaciones más desagradables, aquellas en las que reinan una desconfianza inveterada, una profunda hostilidad y un prolongado historial de agravios. Estudiaremos algunas de las razones por las que las perspectivas profundamente divergentes pueden seguir existiendo, a veces durante generaciones, y la manera en que podríamos modificar nuestro enfoque y nuestra perspectiva cuando nos enfrentamos a unos conflictos aparentemente inabordables.

18
COMPARAR LOS MAPAS

Lecciones de cartografía y lingüística

Se ha afirmado que los mapas más antiguos quizá hayan sido los que los humanos utilizaron para trazar los cuerpos celestes y no las características de la Tierra, aunque los mapas de la superficie terrestre llevan con nosotros miles de años. Sus ventajas son muchas, pero quizá la más esencial de todas es que nos ayudan a transitar el territorio con el que no estamos íntimamente familiarizados. Como tales, los mapas sirven como conductores del conocimiento, permitiendo que aquellos sin ninguna experiencia se beneficien de los esfuerzos de los que llegaron antes que ellos. En la actualidad, tales representaciones de la realidad están por doquier: en nuestros coches, en nuestros teléfonos y en nuestras cabezas. Y nos pueden meter en problemas.

Yo nací en los Estados Unidos, pero cuando tenía cinco años mi familia se trasladó a vivir a la India durante unos años. Consecuencia de ello es que pasé allí algunos de mis primeros años escolares, y regresé a los Estados Unidos cuando contaba nueve. Al empezar de nuevo el colegio en los Estados Unidos, me enfrenté a una diversidad de problemas que cualquiera esperaría encontrarse al entrar o regresar a un país distinto: sociales, académicos y culturales. Pero además había un problema que parecía desafiar cualquier clasificación. Durante algún tiempo, me sentí desconcertado por algo que se me antojaba ilógico. En pocas palabras:

¿por qué en Estados Unidos nadie sabía qué aspecto tenía el mapa de la India? Colgado de las paredes, editado en los libros de texto e impreso en los globos terráqueos de la clase, el mundo tenía el aspecto con el que siempre lo había conocido, salvo cuando se trataba del país en el que acababa de pasar casi cinco años.

COMPRENDER LO IMPOSIBLE

Imaginen por un momento, si son norteamericanos, que viajan a Europa o Asia por primera vez y descubren que en todos los mapas de Estados Unidos hubiera desaparecido Florida, o quizá Texas o Maine, y que nadie más pareciera sentirse confundido o molesto por ello. En mi caso, aparentemente una parte considerable del norte de la India había sido arrancada del país. Parecía... *raro*.

Al final, caí en la cuenta. En casi todos los demás países del mundo, el estado que los indios conocen como «Jammu y Cachemira» incluye una inmensa región (Cachemira) que se considera territorio en litigio. Y aquí radica el problema. Como es natural, todos los indios saben que hay un litigio *en* Cachemira. Es solo que el resto del mundo cree que el objeto de la disputa *es* Cachemira. Entonces caí en la cuenta de que los habitantes de Pakistán, el otro país con una intensa implicación en la disputa de Cachemira, probablemente se habrían pasado la vida mirando un mapa muy diferente al que yo había observado.[1]

El problema con el que me encontré hace lustros siendo niño dista de ser excepcional, y que el mundo se haya vuelto más aplanado y conectado en los últimos años hasta el momento no ha

---

1. La gente de Cachemira también tiene sus propios puntos de vista diferentes sobre la situación.

contribuido mucho a mejorar los problemas. En 2010, el *Washington Monthly* publicó un artículo titulado «El cartógrafo agnóstico», el cual echaba un vistazo a la manera en que el más popular de todos los cartógrafos, Google Maps, decide qué aspecto debería tener el mundo. Al investigar una historia acerca de cómo un error técnico provocó que Google Maps atribuyera involuntariamente a China un territorio en litigio situado en la India (Arunachal Pradesh), el autor descubrió algunos hechos fascinantes:

> Google publica un sitio cartográfico completamente independiente, ditu.google.cn, para los usuarios chinos, que funciona dentro del gran servidor de seguridad chino. Esta no es una concesión excepcional a los líderes del partido de Beijing: Google mantiene versiones específicas de sus mapas de treinta dos regiones distintas para diferentes países de todo el mundo, cada uno de los cuales cumple con las respectiva leyes locales.[2]

Cuando Google lanzó por primera vez su iniciativa cartográfica en 2005, anunció al mundo que «creemos que los mapas pueden ser útiles y divertidos». A veces, resulta que no son ni lo uno ni lo otro. Es obvio que el problema va más allá de los mapas. Lo que es aplicable a la cartografía no es menos válido para los «hechos» que uno aprende sobre la historia; todos han sido sometidos a examen, a menudo sin una intención consciente o explícita, por los prejuicios egoístas, identitarios y de repetición cultural de personas e instituciones por lo demás bienintencionadas.

---

2. Gravois, John, «The Agnostic Cartographer: How Google's Open-ended Maps Are Embroiling the Company in Some of the World's Touchiest Geopolitical Disputes», *Washington Montly*, julio-agosto de 2010.

A partir de sus recuerdos más antiguos, las personas de todas las partes intervinientes en un conflicto —cualquiera que haya abierto alguna vez un libro, encendido un televisor, escuchado una conferencia o comprado un periódico— han crecido con su propia versión incompatible y completamente diferente de la realidad.

Centrémonos en el lenguaje. La Crisis de los Misiles de Cuba es recordada por las muchas enseñanzas que proporciona a los responsables políticos, líderes y negociadores. Pero lo que también puede ser importante no es solo el porqué recordamos la crisis, sino el cómo la recordamos. Así que vale la pena preguntarse: ¿Por qué la llamamos la «Crisis de los Misiles de Cuba»? ¿Y por qué no llamarla de otra manera? ¿Qué tal la «Crisis del Caribe»? O, digamos, ¿la «Crisis de Octubre»?

Una razón parece evidente: «Crisis de los Misiles de Cuba» es una denominación más descriptiva que las alternativas; después de todo, el conflicto tenía que ver con unos *misiles* situados en *Cuba*. ¿Pero puede haber algo más en la historia? Los otros dos nombres que he sugerido más arriba no fueron escogidos arbitriamente como alternativas. Ni fueron acuñados por mí. ¿De dónde suponen que proceden?

Un instante de reflexión podría poner de manifiesto que, en efecto, esos son los nombres que otros países han utilizado para describir el mismo conflicto. En Rusia, el acontecimiento es recordado como la *Crisis del Caribe*; en Cuba, es la *Crisis de Octubre*. Estos diferentes nombres reflejan los distintos relatos que rodean al conflicto en esos dos países. Desde el punto de vista soviético, el verdadero problema tenía poco que ver con los misiles de Cuba propiamente dichos. Los misiles eran solo un elemento en el conflicto más general de la Guerra Fría, que incluía, desde la perspectiva soviética, otros factores igualmente importantes, tales como los misiles norteamericanos en Turquía, el creciente conflicto de Vietnam y las tensiones en Berlín. En realidad, a la sazón la Unión Soviética y los Estados Unidos tenían múltiples crisis en muchas partes del mundo; aquella era simplemente la del *Caribe*. Por su parte, desde la perspectiva cubana, parecía haber sin duda una crisis con Estados Unidos más o menos cada mes; aquella fue la *Crisis de Octubre*, para no confundirla con la crisis de enero o la de febrero ni con la de ningún otro mes del año.

Los negociadores no pueden afrontar eficazmente un conflicto sin intentar comprender los relatos que existen en la(s) otra(s) parte(s) de la mesa. Sin duda, incluso el acuerdo que el presidente Kennedy cerró finalmente con el premier Kruschev precisó del reconocimiento de la posición soviética de que los misiles de Cuba no podían considerarse aisladamente de la amenaza que planteaban los misiles norteamericanos en Turquía. Pero no es solo en el momento del conflicto, y en aras de la negociación, cuando es necesario reconocer los relatos contrapuestos del conflicto. Valorar las diferentes maneras en las que el pasado se puede recordar, grabar y enseñar en cada una de las partes de una disputa, también puede ayudar a *prevenir el conflicto*. Cuando la prevención no es posible, comprender algo así puede al menos inyectar cierto grado de humildad y respeto en las negociaciones entre unas partes que discrepan en casi todo.

LA CONSTRUCCIÓN SOCIAL DEL CONFLICTO

Cuando las personas se pasan toda su vida *sabiendo* la verdad, llegan a creer que quien discrepa de ellos es un incompetente o un ignorante o que no trama nada bueno. Hay una posibilidad alternativa: quizá a la otra parte le lavaron el cerebro... como a nosotros. Las identidades y los intereses están *construidos socialmente*. Esto puede contribuir a explicar no solo la profundidad del conflicto que puede existir entre los países, sino también las hostiles divisiones que pueden surgir entre los partidos políticos rivales, las diferentes ideologías religiosas, los abortistas y los antiabortistas, los sindicatos obreros y la patronal, e incluso entre las sociedades mercantiles rivales. En todos los entornos así, cada parte puede llegar a ver su propia perspectiva como moral, mientras que los demás son contemplados con suspicacia y desprecio. La discrepancia puede persistir y aumentar porque todas las partes dictan sentencia sobre los acontecimientos utilizando sus propias mezquinas normas de legitimación.

El conflicto entre las *personas* puede ser natural, pero el conflicto entre los *pueblos* siempre tiene una base social sólidamente construida que define sus parámetros y lo mantiene a lo largo de las generaciones. Tal vez a ninguna de las partes le resulte posible, al menos a corto plazo, superar o dejar a un lado las influencias potencialmente incendiarias de la educación. Ni esto es algo que podamos decir inequívocamente que fuera deseable; puede ser que algunas de las mismas fuerzas que alimentan el miedo a los demás y su desprecio, también inciten a realizar actividades creadoras de valor inspiradas por el orgullo cultural o el bienestar que deriva de una identidad social amplia. Lo que sí es posible, y esencial, para resolver el conflicto, es el reconocimiento de que la otra parte considera su perspectiva tan legítima como nosotros consideramos la nuestra, y por muchas de las mismas razones. Reconocer esto no siempre es fácil, aunque no hacerlo dificulta la justificación de la colaboración y facilita la de la intensificación de las hostilidades.

Los conflictos prolongados no se pueden resolver sin un intento sincero de comprender las fuerzas arraigadas que legitiman la perspectiva y conducta de cada parte.

PEDIR LO SAGRADO

Pensemos en uno de los obstáculos para el acuerdo negociado entre israelíes y palestinos. Además de la creatividad y la valentía que son necesarios si los líderes de ambas partes van a encontrar una solución a los muchos problemas a los que se enfrentan, para que cualquier proceso de paz sea eficaz será necesario reconciliar los diferentes discursos que cada parte consideran preciados. La fecha en la que se celebra el Día de la Independencia (Yom Ha'atzmaut) en Israel, es recordado por los palestinos como el Día de la Catástrofe (Naqb). El relato de cada una de las partes se basa en la selectiva ponderación de los acontecimientos históricos y las creencias incompatibles sobre quién ha sufrido más, a quién pertenece realmente el territorio, qué derechos son un don divino y qué cuestiones deberían ser negociables.

¿Qué ocurre cuando, en este contexto, el primer ministro de Israel exige que el reconocimiento palestino de Israel «como un Estado judío» debe ser una *condición previa* a las negociaciones de paz?[3] Es bastante complicado esperar que alguien haga una concesión que comprometa lo que considera sus creencias o derechos sagrados; pedirles que lo hagan antes de que las negociaciones puedan siquiera empezar es especialmente contraproducente. Incluso en las negociaciones más triviales —por ejemplo, una controversia comercial o un conflicto conyugal en el que ambas partes consideren que la otra parte ha actuado peor—, suele ser ineficaz pedir a la otra parte que haga una concesión costosa e irrevocable por adelantado (p. ej., admitir una actuación indebida) antes de que haya alguna garantía de que uno también planea

---

3. La Organización para la Liberación de Palestina reconoció al Estado de Israel en 1993. La exigencia del reconocimiento como «Estado judío», que es relativamente más reciente, puede que apareciera por primera vez en las relaciones diplomáticas en torno al 2007.

realizar alguna concesión costosa, o de que la disputa se pueda resolver finalmente si se hacen suficientes concesiones.

En todo caso es mejor que un conflicto se pueda resolver sin exigir a ninguna de las partes que realice concesiones gravosas, aunque esto no siempre es posible. Incluso cuando sea necesario, la exigencia de tales concesiones no debería ser precipitada. En los conflictos armados, las disputas empresariales y las refriegas familiares, puede llegar un momento —quizá cuando la perspectiva de un acuerdo duradero resulte creíble, o bien porque haya un estancamiento prolongado mutuamente lesivo— en que las partes acuerden hacer lo que previamente consideraron «impensable» o hagan concesiones sobre cuestiones que otrora fueron consideradas innegociables.

> *Hay que comprender lo que es sagrado para la otra parte y evitar exigirlo como condición previa al compromiso. Tal vez acuerden negociar lo que otrora fue innegociable, pero solo si ven que existe una vía creíble para resolver el conflicto o lograr objetivos vitales.*

LA HISTORIA COMIENZA CUANDO FUIMOS AGRAVIADOS

En todos los conflictos prolongados de todos los rincones del planeta, partes de todas las razas y religiones plantean exigencias que creen sinceramente legítimas y justas, y concluyen que la otra parte no está interesada en la legitimidad ni en la justicia porque tales exigencias son rechazadas. Pero la negativa de la otra parte a aceptar nuestras demandas, especialmente cuando no hemos hecho mención a cómo se satisfarán *sus* principales preocupaciones, no debería poner en cuestión su carácter o motivación. El problema radica en que lo que consideramos la mayor injusticia, el imperativo moral más elevado o el primer problema que hay que abordar, depende en buena medida de los libros de historia que pueblen nuestra biblioteca.

En *Great Hatred, Little Room*, Jonathan Powell narra un acontecimiento en el que el desacuerdo de discursos que subyacía en el conflicto de Irlanda del Norte salió a la superficie de una manera hasta cierto punto pintoresca. Estamos en diciembre de 1997, y Martin McGuinnes, del Sinn Fein (el brazo político de la combativa IRA) estaba de visita en el número 10 de Downing Street, la residencia y despacho oficiales del primer ministro británico. Al entrar en la Sala del Gabinete, McGuinness comentó al primer ministro Tony Blair: «Así que este es el lugar donde se hizo todo el daño». Suponiendo que se trataba de una alusión a un ataque perpetrado por el IRA contra la residencia en 1991, Powell, jefe de gabinete del primer ministro, empezó a entrar en detalles sobre los daños ocasionados por el ataque. Sin duda desconcertado por la respuesta de Powell, McGuinnes aclaró que no estaba haciendo referencia al daño provocado por el atentado con bomba del IRA perpetrado seis años antes; se estaba refiriendo al daño provocado por las *negociaciones* que habían tenido lugar en esa misma sala entre el líder republicano irlandés Michael Collins y el a la sazón primer ministro Lloyd George, y que habían conducido a la partición de Irlanda... *allá en* 1921.

El punto de vista del Sinn Fein ese día, y a lo largo de los años venideros, estaba firmemente enraizado en los sucesos que habían tenido lugar tres cuartos de siglo antes, la última vez que el Sinn Fein había sido invitado al 10 de Downing Street. Desde la perspectiva de Powell, uno de los elementos primordiales para mantener juntos el frágil aunque finalmente fructífero proceso de paz, consistía en un empeño persistente y deliberado por salvar la distancia entre «nuestra perspectiva a corto plazo» y la «más duradera sensación de agravio histórico» de la otra parte.

He presenciado discrepancias así en negociaciones de todo tipo: los líderes sindicales suelen tener más memoria que la patronal; la parte que obtuvo menos valor en la última ronda de negociaciones ve la actual como una oportunidad para ajustar cuentas, mientras que en el otro lado se adopta una perspectiva con visión de futuro «racional»; los empleados recordarán a su jefe cómo los trató en todos los encuentros anteriores, mientras que al jefe habrá incluso que recordarle, con unos días de antelación, que tiene que reunirse con los empleados. La historia, *por lo general*, empieza la primera vez que yo hice lo correcto o tu cometiste el error... nunca al revés.

La historia empieza en diferentes momentos según las distintas personas. Las fechas señaladas en nuestros calendarios habitualmente son aquellas que conmemoran nuestras victorias y victimizaciones.

NO PIDAMOS A LA GENTE QUE OLVIDE EL PASADO

Ignorar tales diferencias con la esperanza de que todos acepten la «realidad actual» y orienten su conducta hacia el futuro supone no valorar la larga y poderosa sombra que arroja el pasado sobre la manera que la gente tiene de ver su sentido de identidad y pertenencia. Pedir a la gente que olvide el pasado no es una estrategia muy efectiva. Esto es algo que descubrió un líder religioso en 1973, cuando, al hacer un llamamiento a favor de la paz en Irlanda de Norte, en su lugar dio pie a uno de los eslóganes imperecederos de la resistencia violenta. Como reacción a su apasionado llamamiento a la multitud de que era hora de dejar a un lado lo que les había divido en el pasado y siguieran adelante con el futuro, alguien respondió gritando: «Al diablo con el futuro, ¡sigamos adelante con el pasado!»

Ayudar a la gente a construir un puente entre el pasado y el futuro tal vez sea una estrategia más inteligente. Por mi parte, me ha resultado mucho más fácil negociar con alguien cuando, en lugar de rebatir la importancia de los derechos y agravios históricos, he promovido la idea de aplicar las lecciones del pasado para ayudar a tratar con la situación actual. Si alguien siente que ha sido agraviado, la «enseñanza» puede ser que debería desconfiar y hasta vengarse del agraviante, y eso no deja mucho margen para la negociación. Pero a veces, se puede animar a la otra parte a que adopte una enseñanza diferente: pedir reparaciones, pedir disculpas, compensar, simplemente perdonar o trabajar conjuntamente con el objetivo de garantizar que no se pueda volver a cometer, ni sea cometido, ningún futuro agravio. Cada una de *esas* vías exige una negociación. Todas requieren que se afronte la historia, no que se ignore. Y aun si fuera posible, no está claro que debiéramos desear un mundo en el que todo el mundo pudiera olvidar los conflictos y agravios históricos. En un mundo así tal vez no hubiera venganza, pero asimismo habría escasa inspiración o capacidad para prever los futuros conflictos o trabajar en aras de una paz duradera.

Pedir a la gente que olvide el pasado es inútil, aunque a veces es posible ayudarla a encontrar maneras más enriquecedoras de aplicar las enseñanzas del pasado.

PERO EMPECEMOS

No hace mucho, volando hacia la India, estaba rellenando el impreso de declaración aduanera. En él se hacían la mayoría de las preguntas que cualquiera esperaría, entre ellas: «¿Transporta los siguientes objetos...?» Uno de los objetos de la lista eran los Artículos Prohibidos. Tras dar la vuelta a la ficha para averiguar qué era lo que estaba prohibido, me encontré, junto con los sospechosos habituales (estupefacientes, moneda falsa, etcétera), algo que no me esperaba en absoluto: «Mapas y literatura en los que las fronteras externas de la India se muestren de manera incorrecta.»

Así que ahí estaba, solo una barrera más levantada para evitar que la gente averiguara de qué otra forma podrían ver el mundo los demás. Solo otro obstáculo puesto ahí para reducir las perspectivas divergentes y una mayor comprensión. Tales maniobras no son, *de ninguna manera*, exclusivas de un país. Y esa es la cuestión. Entre las reacciones más naturales al conflicto está el miedo: el miedo a la disidencia interna o desunión; el miedo a ser considerado débil; el miedo a ser el único que decida actuar con civismo o adoptar una postura más suave; el miedo a ser explotado. Un miedo así es natural y comprensible. Pero el miedo no debería ser lo único que determinara los parámetros de si entablamos, y cómo, un diálogo con nuestros enemigos o adversarios. No es la manera de avanzar si se trata de mitigar o resolver el conflicto.

El presidente Kennedy, en su discurso de toma de posesión ante el país el 20 de enero de 1961, prestó mucha atención en dirigirse a los antiguos adversarios de Estados Unidos y dio su propio consejo sobre cómo manejar las negociaciones aparentemente imposibles:

> Así que empecemos de nuevo, recordando a ambas partes que el civismo no es señal de debilidad y que la sinceridad siempre hay que demostrarla. Jamás negociemos por miedo. Pero jamás tengamos miedo a negociar.

Una y otra vez hemos visto que ni la prudencia ni el valor por sí solos proporcionan una base sólida para las relaciones humanas. Son necesarios los dos. El compromiso no garantiza el éxito a corto plazo, pero no comprometerse casi siempre prolonga y empeora el conflicto. Para el presidente Kennedy esto estaba muy claro:

> Todo esto no habrá concluido en los primeros cien días. Ni terminará en los primeros mil días, ni en toda la vida de esta Administración, y ni siquiera quizá en toda nuestra vida sobre este planeta. Pero empecemos.

Jamás dejemos que el miedo determine nuestra respuesta a los problemas de las relaciones humanas.

RESUMEN DE LAS ENSEÑANZAS DE LA TERCERA PARTE: EL PODER DE LA EMPATÍA

- La empatía amplía el conjunto de opciones... para nosotros.

- La empatía es más necesaria cuando se trata con las personas que menos parecen merecerla.

- Creemos distensión. Nuestros cálculos para cuándo desquitarnos o agravar la situación deberían tener en cuenta los errores y los malentendidos.

- Hay un equilibro entre mantener la flexibilidad estratégica y salvaguardar la credibilidad.

- No nos arrinconemos con ultimátums y amenazas insensatos o innecesarios.

- No obligues a la otra parte a escoger entre unas decisiones inteligentes y salvar el prestigio.

- Cuidado con la maldición del conocimiento.

- No preparemos nuestras argumentaciones, preparemos a nuestra audiencia para nuestras argumentaciones.

- Tengamos en cuenta todas las posibles explicaciones para la conducta de la otra parte; no empecemos suponiendo incompetencia o mala intención.

- Identifiquemos todos los obstáculos: psicológicos, estructurales y tácticos.

- Trabajemos el cuerpo entero: ataquemos todos los obstáculos; utilicemos todas las herramientas.

- Ignoremos los ultimátums.

- Reformulemos los ultimátums.

- Lo que no es negociable hoy puede serlo mañana; moldeemos los incentivos y las opciones del futuro.

- Transigir significa «acompañar», no «rendirse». Comprendamos, adoptemos y aprovechemos la perspectiva del otro lado.

- Tendamos un puente para reconciliar las perspectivas contrapuestas.

- Transigir con la formulación de la otra parte podría aumentar nuestra ventaja.

- Si es necesario, renunciemos al control sobre la propuesta de la solución, pero aclaremos las condiciones que la otra parte tiene que satisfacer.

- Pensemos trilateralmente.

- Delineemos el espacio de negociación.

- El análisis ICAP: ¿cuáles son los Intereses, Constricciones, Alternativas y Perspectivas de todas las partes?

- Nuestro análisis debería incluir las posibilidades estáticas, dinámicas y estratégicas de sacar provecho de las terceras partes.

- Preparémonos —psicológica, organizativa y políticamente— para la buena suerte.

- Si alcanzar un acuerdo hoy es imposible, mejoremos nuestro posicionamiento y creemos un valor de opción para el futuro.

- No adoptemos una estrategia ganadora demasiado pronto. Mantengamos las opciones y reforcemos nuestra capacidad de cambiar el rumbo.

- Veamos a la otra parte como socios, no como adversarios.

- Centrémonos en crear valor, independientemente de lo desagradable que sea el conflicto.

- «Imaginen un mundo donde eso fuera posible. Ahora descríbame una imagen.»

- Comprendamos las fuerzas profundamente arraigadas que legitimizan la perspectiva y la conducta de cada parte.

- Evitemos pedir concesiones sagradas como condición previa a un compromiso.

- La historia empieza cuando fuimos agraviados.

- No pidamos a las personas que olviden el pasado; animémoslas a que encuentren maneras de crear valor para aplicar sus enseñanzas.

- No dejemos jamás que el miedo determine nuestras reacciones a los problemas de las relaciones humanas.

Lo que solemos considerar imposible son
simplemente problemas de ingeniería; no hay
ninguna ley física que los prevenga.

MICHIO KAKU

19

EL CAMINO A SEGUIR

A menudo recuerdo a mis alumnos que el que asistan a un curso sobre negociación no hace que el mundo sea un sitio mejor; no hace a ninguna de las personas con las que tendrán que tratar en el futuro más amables, inteligentes, sofisticadas u honradas. *Lo único que podemos intentar hacer es prepararlos mejor para tratar con personas que no son distintas de lo que eran ellos antes de que vinieran al curso.* Esta es la razón de que casi todo lo que enseñamos esté pensado para ser eficaz —para aumentar las probabilidades de éxito—, independientemente de si la otra parte ha asistido alguna vez a un curso sobre negociación.

Otro tanto es de aplicación a este libro. En él he tratado de suponer lo peor en las situaciones en las que se puedan encontrar: movimientos agresivos, estancamiento, agravamiento del conflicto, falta de transparencia, aparente mala intención, desconfianza y carencia de dinero o fuerza para resolver el problema. La esperanza es que cuando se enfrenten a lo aparentemente imposible y a las negociaciones rutinarias de sus vidas, los principios aquí destacados les proporcionen ideas y herramientas adicionales para resolver las disputas, superar los estancamientos y alcanzar mejores tratos y acuerdos.

A lo largo del libro he destacado la importancia de estar atento a los problemas no sustanciales que puedan tener las partes, de ser consciente del procedimiento y de comprender a fondo las respectivas perspectivas de cada una de las partes que sean relevantes para la negociación. Termino con una última historia, la cual sirve para recordarnos que la negociación eficaz exige una vigilancia constante de todas esas cuestiones.

EL ANUNCIO DE PAZ EN IRLANDA DEL NORTE

El conflicto étnico-político de Irlanda del Norte se remonta a varios siglos, pero en su manifestación más reciente se configuró a principios del siglo xx. Después de que Irlanda consiguiera independizarse del Reino Unido, el Norte optó por seguir independiente del Estado Libre de Irlanda, establecido en el Sur, con lo que el país se dividió en dos. El conflicto mostraba una doble vertiente política y religiosa: los que querían liberarse del Reino Unido eran conocidos como Nacionalistas; fundamentalmente eran católicos y estaban en mayoría, salvo en Irlanda del Norte. Los que quisieron seguir formando parte del Reino Unidos eran conocidos como Unionistas; principalmente protestantes, representaban a la mayoría de Irlanda del Norte. Desde la década de 1920 hasta principios de la de 1960, Irlanda del Norte siguió asociada al Reino Unido, aunque con su propio parlamento, una situación que no era del agrado de los nacionalistas católicos del norte, una minoría que entonces se enfrentaba a una discriminación sistemática.

El conflicto estalló a mediados de la década de 1960, cuando un revitalizado Ejército Republicano de Irlanda (IRA) empezó su campaña armada contra el Estado británico. A su vez, se formaron grupos paramilitares unionistas para repeler la amenaza republicana. La violencia se intensificó, y en el año 1972, el más sangriento del conflicto, se alcanzó la cifra de casi quinientas vidas perdidas. Al terminar el siglo, habían muerto cerca de 3.500 personas y más de 100.000 habían sufrido daños físicos, en un país con una población que no llegaba a los dos millones de habitantes.

El proceso de paz empezó a trancas y barrancas a mediados de la década de 1990. Con el paso del tiempo, se hizo evidente que mientras no se concediera al IRA un sitio en la mesa de negociaciones, no se alcanzaría un tratado de paz sin la participación del Sinn Fein, un grupo considerado por la mayoría como el brazo político del IRA. En 1998, el Reino Unido, la República de Irlanda y ocho partidos políticos de Irlanda del Norte, entre ellos el Sinn Fein, firmaron el histórico Acuerdo del Viernes Santo. En virtud de este, se creaba un gobierno descentralizado en Irlanda del Norte con el poder compartido por los dos lados del conflicto y se constituían una serie de instituciones duplicadas para conciliar los intereses de la República de Irlanda, Irlanda del Norte y el Reino Unido.

Los problemas persistieron, y el conflicto acabaría enconándose. En los años siguientes, y en parte debido a los altibajos en el proceso de desarme del IRA, el parlamento de Irlanda del Norte fue repetidamente clausurado por la retirada de los unionistas, que protestaban así por la intransigencia del grupo armado. Los británicos revocaron la autonomía de Irlanda del Norte, que solo restituirían cuando hubiera algún avance. Mientras, la violencia entre ambas bandos se reanudó, aunque a niveles notablemente inferiores a los que se habían visto en los años precedentes.

En noviembre de 2003, el permanente descontento con el estancamiento condujo a una derrota de los partidos políticos moderados de Irlanda del Norte, entrando en su lugar los más extremistas Partido Unionista Democrático (DUP, liderado por Ian Paisley) y Sinn Fein (dirigido por Gerry Adams). Si los moderados no habían conseguido alcanzar un acuerdo sobre el desarme y cómo compartir el poder en la práctica, ¿qué esperanza había con estos dos archienemigos? Cuando en 1997 un periodista le dijo a Ian Paisley que Gerry Adams estaba dispuesto a sentarse con él, el líder protestante respondió: «Jamás me sentaré con Gerry Adams... Él se sentaría con cualquiera. Se sentaría con el diablo. A decir verdad, Adams sí que se sienta con el diablo».[1]

Pero a pesar de los muchos retrocesos, después de las elecciones parlamentarias celebradas en Irlanda del Norte en marzo de 2007, los dos enconados enemigos se encontraron cara a cara por primera vez para poner fin al acuerdo de reparto de poder. El *Guardian* describió el acontecimiento de la siguiente manera: «El acuerdo entre el veterano alborotador unionista y el líder de un movimiento republicano belicoso que antaño mataba a los adversarios fue aclamado en Londres y Dublín como el momento definitivo de un proceso de paz que se ha prolongado durante 10 años».[2] En mayo de 2007, cuando Ian Paisley (DUP) y Martin McGuinness (Sinn Fein) prestaron juramento como primer ministro y viceprimer ministro, respectivamente, se puso fin a la administración directa de Irlanda del Norte por los británicos.

Aunque la reunión —y la paz que buscaba proclamar— llevaba siglos gestándose, los pacificadores no tenían ningún motivo para estar seguros de que las disputas mezquinas, el intento de aventajar al adversario o las exigencias de última hora no fueran nunca a desbaratar el proceso. En el caso de Paisley y Adams, a Dios gracias, cuando surgió el momento, cierto buen hacer salvó literalmente la situación. Jonathan Powell describe lo que sucedió en su libro *Talking to Terrorists*: «Cuando nos acercábamos al final del proceso de Irlanda del Norte e Ian Paisley hubo accedido

---

1. Fish, Robert, «Heaven, Hell and Irish Politics», *The Independent*, 13 de febrero de 1997.

2. Bowcott, Owen, «Northern Ireland's Arch-enemies Declare Peace», *The Guardian*, 26 de marzo de 2007.

por fin a encontrarse con Gerry Adams, seguimos estancados en un asunto: dónde se sentarían. Paisley quería hacerlo enfrente de los republicanos, para que parecieran rivales y no amigos, pero Adams insistía en sentarse al lado de Paisley, a fin de que parecieran iguales y colegas».[3]

Es evidente que los negociadores de la paz en Vietnam no han sido los únicos que se engancharon a la distribución de los asientos. ¿Y cómo convencemos a las partes para que dejen a un lado esta exigencia aparentemente mezquina? ¿Cómo, con la amenaza de una fecha límite inminente, convencemos a una de las partes para que haga una concesión *gratis et amore*? Pues resulta que no siempre podemos conseguir tales cosas; algunos sujetos se muestran un tanto tozudos cuando empiezan a ver las cosas como una cuestión de principios. Así que cuando falla todo lo demás, tenemos que ser creativos, y la creatividad depende por completo de que te cuestiones tus suposiciones más básicas. Powell explica cómo salieron del atolladero: «No éramos capaces de encontrar una salida a este obstáculo, hasta que a un brillante funcionario de la Oficina para Irlanda del Norte se le ocurrió la idea de fabricar una nueva clase de mesa, con forma de diamante, de manera que pudieran sentarse en el vértice, uno al lado del otro y al mismo tiempo uno enfrente del otro».[4]

Y así fue como lo resolvieron.

CREATIVIDAD Y VIGILANCIA

Antes solía preguntarme por qué mis hijos seguían teniendo una clase obligatoria de carpintería en su colegio de primaria;

---

3. Powell, Jonathan, *Talking to Terrorists: How to End Armed Conflicts*, Bodley Head, Londres, 2014, p. 217.

4. *Ibídem.*, p. 217.

ya no lo hago. Cuando se entra en el mundo al revés de los conflictos desagradables, uno llega a valorar todas las habilidades que ha ido perfeccionando, todas las herramientas recolectadas alguna vez y cada una de las enseñanzas recibidas. La preparación, como hemos visto, es indispensable, pero por más grande que sea esta jamás soslayará la necesidad de ser creativo cuando surge lo inesperado. Una cosa así no debería de sorprendernos; si dispusiéramos de soluciones para todo, no habría problema que se nos enquistara. Nuestra capacidad para encontrar soluciones singulares a nuestros problemas se ve notablemente mejorada cuando utilizamos con habilidad *todas* nuestras fuentes de influencia; no solo el dinero y la fuerza, sino también los poderes de la formulación, el procedimiento y la empatía.

La experiencia también hace que valoremos la importancia que tiene una vigilancia constante; cuando nos encontramos en el terreno de los acuerdos complejos o los conflictos prolongados, a veces los problemas más peligrosos aparecen disfrazados como cuestiones de una importancia trivial. Nunca sabemos cuándo un asunto aparentemente sencillo amenazará con desbaratar un acuerdo que llevamos elaborando meses o años. Tales problemas —la clase que nunca ves venir— harán que despleguemos nuestra capacidad para la resolución de problemas y la creatividad. Cuando los acontecimiento empiecen a desarrollarse en tiempo real, tendremos que estar preparados para pensar deprisa y con flexibilidad y para aplicar los principios estudiados a lo largo de este libro. Esto no significa que todos los problemas deban tratarse como si fueran unos impedimentos colosales, sino que deberíamos prestar más atención a la posibilidad de un estallido cuando sepamos que hay un conflicto latente que no ha sido abordado.

NO HAY GRANDES TÁCTICAS, SOLO GRANDES PRINCIPIOS

A menudo se me pide que dé mi opinión acerca de la bondad de una estrategia o táctica concreta. Estas preguntas suelen ser del siguiente estilo: *¿Es una buena idea ____ en una negociación?* El problema es que, de haberlas, hay muy pocas estrategias o tácticas que tengan una aplicación universal. Son pocas las preguntas así que puedo responder sin saber más de la situación, sin hacer salvedades o sin especular sobre las condiciones previas. La mejor estrategia o táctica es por fuerza un elemento del análisis que se realiza. Una estrategia sensata en un caso puede resultar desastrosa en una situación algo diferente. Una táctica que fracasó la última vez puede funcionar a la vez siguiente porque los parámetros han cambiado. No solo es difícil generalizar sobre la sensatez de una táctica concreta; también hay demasiadas tácticas de las que mantenerse al tanto. Aparentemente, existe un número infinito de tácticas de negociación, dado que hay un número infinito de cosas que uno podría decidir hacer en una negociación.

En vez de eso, la clave estriba en centrarse en los *principios*. Los principios son menos y *tienen* un campo de aplicación más amplio. Entre ellos se cuentan muchas de las ideas que hemos estudiado a lo largo del libro, a saber: el control de la fórmula; tener presentes los puntos de vista; ayudar a la otra parte a salvar su reputación; tener una estrategia para el procedimiento; negociar el procedimiento antes que el fondo; normalizar el procedimiento; bajar el listón para avanzar; permanecer en la mesa; empatizar; crear distensión; trabajar el cuerpo entero; delinear el espacio de negociación; buscar una mayor comprensión; crear valor, y así sucesivamente. Lo que debamos hacer en una situación dada dependerá en última instancia de una cuestión de criterio, pero ese criterio será tanto más sensato si tenemos presentes todos estos principios básicos.

En este sentido, la negociación no se aleja de otras combinaciones de ciencia y arte, tales como la danza, la música y la interpretación. En las artes marciales, sin ir más lejos, los alumnos aprenden muchas técnicas y practican innumerables combinaciones diseñadas para aplicar a un número aparentemente infinito de situaciones. Pero el objetivo *no* es memorizar la manera en que uno respondería concretamente a una situación particular, porque inevitablemente se darán unas sutiles diferencias entre el escenario que se estudió y aquel al que nos enfrentamos en el momento del ataque. Antes bien, la idea consiste en entender la ciencia y practicar las técnicas para aprender los principios, porque estos (relacionados con el distanciamiento, el movimiento, la manipulación de las articulaciones, el equilibrio) nos guiarán aunque nos hallemos en una situación en la que nunca nos habíamos encontrado antes.

Otro tanto cabe decir de la negociación; las tácticas variarán. Yo puedo aconsejar a un cliente que se aleje de un acuerdo hasta que la otra parte suavice sus exigencias, y a otro que siga participando y trabaje en pro de un compromiso. Puedo aconsejar a un alumno que se esfuerce en negociar una oferta mejor del empresario, y a otro que acepte lo que se le ofrece. Le puedo decir a un diplomático o responsable político que debería plantear un ultimátum, y a otro que se aleje por completo de semejantes tácticas. Me puedo esforzar en imponer mi procedimiento preferido en un acuerdo, y someterme a las preferencias de la otra parte en el siguiente.

Lo ideal es que consideremos todos los principios antes de decidirnos por cualquier línea de actuación importante; en la práctica, lo mejor probablemente sea que señalemos unos cuantos principios del libro que consideremos cuáles son los más importantes para nosotros: las cosas que no hemos hecho bien o coherentemente en el pasado, o las ideas que parecen más claramente aplicables a los problemas que afrontamos. Una vez que nos parece que estamos aplicando esos principios con coherencia y eficacia, incorporemos la mayoría a nuestro equipo de herramientas.

LAS RELACIONES HUMANAS

No tenemos que esperar a vernos en una negociación difícil para empezar a poner en práctica estas ideas. Todos los días participamos en incontables negociaciones, y los principios enunciados en este libro (empatizar, ignorar o reformular los ultimátums, comprender las constricciones de la otra parte, normalizar el procedimiento) son tan importantes para las negociaciones triviales o donde hay poco en juego como lo son para las aparentemente imposibles.

En mis negociaciones y mi actividad como asesor, descubro que estoy en mi mejor forma cuando me mantengo atento al hecho de que la negociación, con independencia del contexto o los intereses en juego, se trata de una relación humana. Cuando tratamos con seres humanos, deberíamos rescatar lo mejor de lo que significa ser humano. Si podemos hallar un equilibrio entre la firmeza y la empatía, entre la seguridad en uno mismo y la humildad necesaria para aprender y adaptarnos, y entre el deseo de influir y un interés sincero en comprender, nos encontraremos en una forma fantástica. El resto son consecuencias y detalles.

Y esto es así con independencia de lo difícil que se antoje la situación. Suelo decirles a mis hijos que *todos los problemas desean ser resueltos*. Esto es especialmente cierto en la negociación. Puede que no lo resolvamos hoy —puede que ni siquiera sea solucionable hoy—, pero lo resolveremos antes si recordamos que todos los problemas de una negociación son, esencialmente, problemas de relación humana. Por consiguiente, los humanos tenemos la capacidad para resolverlos. Mi esperanza está puesta en que los principios expuestos en este libro les ayuden a conseguirlo en el futuro incluso con más efectividad.

Buena suerte y mis mejores deseos para los caminos que tienen que recorrer.

AGRADECIMIENTOS

Ya han pasado casi veinte años desde la primera vez que entré en su despacho siendo un alumno de posgrado de la Kellogg School of Management, pero Keith Murnighan sigue desempeñando el papel de consejero y mentor. Cuando le pedí que me hiciera un comentario sobre un primer borrador de este libro, lo hizo como si estuviéramos en 1998. Me devolvió el borrador con 1.500 correcciones menores, en un manuscrito que tenía menos de ¡70.000 palabras! Keith es una fuerza de la naturaleza —incansable, sensato, amable y generoso— y me siento afortunado por tenerlo de amigo.

La Harvard Business School, mi hogar académico durante casi 15 años, es un lugar en el que no me podría sentir más apoyado y estimulado en mi trabajo. Mis colegas de la Unidad de Mercados, Organizaciones y Negociación son como una familia. Deseo expresar mi agradecimiento a Max Bazerman, John Beshears, Alison Wood Brooks, Amy Cuddy, Ben Edelman, Christine Exley, Francesca Gino, Jerry Green, Brian Hall, Leslie John, Mike Luca, Kathleen McGinn, Kevin Mohan, Matt Rabin, Jim Sebenius, Joshua Schwartzstein, Guhan Subramanian, Andy Wasynczuk y Mike Wheeler. Max Bazerman, con el que compartí la autoría de *El negociador genial*, se merece un plus de agradecimiento por introducirme en la escritura de libros y por su permanente orientación en todos los órdenes de la vida académica. Quiero dar las gracias especialmente a Dean Nitin Nohria, también miembro de la Harvard Business School, por su entusiasta y constante apoyo a todos mis (ocasionalmente heterodoxos) proyectos académicos.

Cody Smith y Elizabeth Sweeny me brindaron muchos comentarios útiles sobre el manuscrito. Castigué con más borradores del libro a Cody que a ninguna otra persona, pero fue lo bastante amable para decirme que jamás se había aburrido con él. (Ya lo dudo.) Vaya también mi agradecimiento a Wally Bock, Thomas Kruse y David Marshall por sus utilísimos comentarios al primer borrador completo.

Este libro no estaría en sus manos sin el esfuerzo de las excelentes personas de Berrett-Koehler. Si alguna vez quieren publicar un libro, acudan a ellos. Vaya mi especial agradecimiento a Steve Piersanti por sus comentarios y orientación a lo largo de todas las fases del proceso. El entusiasmo que ha mostrado por mi persona y mi trabajo ha estado siempre por encima de lo que me merezco, y le doy las gracias por ello.

Gracias también a mi amigo y colega Johathan Powell. Cuando se trata de recorrer el mundo de los conflictos armados, no podría haber mejor guía ni compañero que él. Ha sido un placer aprender de ti y trabajar contigo para influir en lo que más importa.

También estoy en deuda con los varios miles de alumnos, ejecutivos y empresarios a los que he tenido el privilegio de enseñar, y a los cientos de empresas a las que he tenido el placer de instruir y asesorar. Vuestras preguntas más peliagudas sobre problemas aparentemente imposibles me motivaron a desarrollar las ideas contenidas en este libro, y vuestro entusiasmo por las ideas que os transmití me estimularon para ponerlas por escrito.

Pero sobre todo, le estoy agradecido a mi familia. Mis padres, Chander y Sudesh Malhotra, y mi hermano, Manu Malhotra, han sido una fuente de fuerza y optimismo hasta donde me alcanza la memoria. Mis padres fueron los primeros en hacerme los comentarios a este libro cuando apenas era una colección de historias; también fueron las últimas personas en hacer las correcciones al borrador definitivo. Mi esposa, Shikha, no solo me da su opinión y me anima en todos mis cometidos, sino que, sin la ayuda de nadie, es responsable de la creación de un mundo en el que puedo ejercer mi trabajo y asumir un proyecto como este. Tu esfuerzo y sacrificios sobrepasan el caudal de palabras necesario para expresar el nivel de agradecimiento que te mereces. Y por último, mis hijos —Jai, Aria y Aisha— son un recordatorio constante de que merece la pena intentar hacer un mundo mejor, más seguro y que sea más divertido para todos... y que hacerlo es posible.

SOBRE EL AUTOR

Deepak Malhotra es profesor Eli Goldston de administración de empresas en la Harvard Business School, donde imparte clases de negociación en una amplia variedad de programas. Deepak ha ganado numerosos premios por su labor docente, entre ellos el HBS Faculty y el Charles M. Williams. En 2014, fue escogido por *Poets & Quants* para figurar en su lista «40 de menos de 40», una selección de los mejores profesores de escuelas de negocios de menos de 40 años.

El primer libro de Deepak (en coautoría con Max Bazerman), *El negociador genial*, recibió el premio al Libro Destacado, en su edición de 2008, que otorga el International Institute for Conflict Prevention and Resolution. Su segundo libro, *Yo me he llevado tu queso*, figuró en la lista de éxitos del *Wall Street Journal* y ha sido traducido a más de 20 idiomas. Las investigaciones de Deepak en el ámbito de la negociación y la resolución de conflictos han sido publicadas en las principales revistas de los campos de la gestión de empresas, la psicología, la resolución de conflictos y la política exterior.

Entre sus actividades profesionales cabe destacar las labores de formación, consultoría y asesoramiento en la negociación y cierre de acuerdos para empresas de todo el mundo. Su labor de asesoramiento en el campo político se centra fundamentalmente en ayudar a los gobiernos a negociar el fin de los conflictos armados. Asimismo, Deepak imparte un curso sobre negociación, como profesor invitado, en la Blavatnik School of Government de la Universidad de Oxford.

Para seguir a Deepak en Twitter: @Prof_Malhotra
Para más información: www.DeepakMalhotra.com

ECOSISTEMA DIGITAL

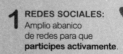